La fuerza de un guerrero

La fuerza de un guerrero

Desafía tus límites para alcanzar tus sueños

Adriana Macías

alamah AUTOAYUDA

alamah°

De esta edición:
D. R. © Santillana Ediciones Generales, S.A. de C.V., 2008.
Av. Universidad 767, Col. del Valle.
México, 03100, D.F. Teléfono (55 52) 54 20 75 30
www.alamah.com.mx

Argentina
Av. Leandro N. Alem, 720
C1001AAP Buenos Aires
Tel. (54 114) 119 50 00
Fax (54 114) 912 74 40

Bolivia
Avda. Arce, 2333
La Paz
Tel. (591 2) 44 11 22
Fax (591 2) 44 22 08

Colombia
Calle 80, n°10-23
Bogotá
Tel. (57 1) 635 12 00
Fax (57 1) 236 93 82

Costa Rica
La Uruca
Del Edificio de Aviación Civil 200 m
al Oeste
San José de Costa Rica
Tel. (506) 220 42 42 y 220 47 70
Fax (506) 220 13 20

Chile
Dr. Aníbal Ariztía, 1444
Providencia
Santiago de Chile
Telf (56 2) 384 30 00
Fax (56 2) 384 30 60

Ecuador
Avda. Eloy Alfaro, N33-347 y Avda. 6
de Diciembre
Quito
Tel. (593 2) 244 66 56 y 244 21 54
Fax (593 2) 244 87 91

El Salvador
Siemens, 51
Zona Industrial Santa Elena
Antiguo Cuscatlan - La Libertad
Tel. (503) 2 505 89 y 2 289 89 20
Fax (503) 2 278 60 66

España
Torrelaguna, 60
28043 Madrid
Tel. (34 91) 744 90 60
Fax (34 91) 744 92 24

Estados Unidos
2105 NW 86th Avenue
Doral, FL 33122
Tel. (1 305) 591 95 22 y 591 22 32
Fax (1 305) 591 91 45

Guatemala
7ª avenida, 11-11
Zona n° 9
Guatemala CA
Tel. (502) 24 29 43 00
Fax (502) 24 29 43 43

Honduras
Colonia Tepeyac Contigua a Banco
Cuscatlan
Boulevard Juan Pablo, frente al Templo
Adventista 7° Día, Casa 1626
Tegucigalpa
Tel. (504) 239 98 84

México
Avda. Universidad, 767
Colonia del Valle
03100 México DF
Tel. (52 5) 554 20 75 30
Fax (52 5) 556 01 10 67

Panamá
Avda Juan Pablo II, n° 15. Apartado
Postal 863199, zona 7
Urbanización Industrial La Locería -
Ciudad de Panamá
Tel. (507) 260 09 45

Paraguay
Avda. Venezuela, 276
Entre Mariscal López y España
Asunción
Tel. y fax (595 21) 213 294 y 214 983

Perú
Avda. San Felipe, 731
Jesús María
Lima
Tel. (51 1) 218 10 14
Fax. (51 1) 463 39 86

Puerto Rico
Avenida Rooselvelt, 1506
Guaynabo 00968
Puerto Rico
Tel. (1 787) 781 98 00
Fax (1 787) 782 61 49

República Dominicana
Juan Sánchez Ramírez, n° 9
Gazcue
Santo Domingo RD
Tel. (1809) 682 13 82 y 221 08 70
Fax (1809) 689 10 22

Uruguay
Constitución, 1889
11800 Montevideo
Uruguay
Tel. (598 2) 402 73 42 y 402 72 71
Fax (598 2) 401 51 86

Venezuela
Avda. Rómulo Gallegos
Edificio Zulia, 1°. Sector Monte Cristo.
Boleita Norte
Caracas
Tel. (58 212) 235 30 33
Fax (58 212) 239 10 51

Primera edición: mayo de 2008.
ISBN: 978-970-58-0354-3
D.R. © Ilustraciones de cubierta y de interiores: Allan G. Ramírez
D.R. © Diseño de cubierta y de interiores: Miguel Ángel Muñoz

Impreso en México

NOV · 2008

Índice

Agradecimientos

Paralela a la vida real, está la fantasía; y cuando se cruzan por un instante, en el mismo segundo, los sueños se hacen realidad... Quiero agradecer la realización de este sueño a mis papás: José Manuel y Juanita, por ser mi primer apoyo en cada uno de los proyectos que decido emprender; a mi amado esposo, Juan Medina, por ser la fuente de inspiración de esta historia; a mi hermana Eloisa, por ser mi mejor cómplice en cada aventura y gracias a ello puedo llevar a feliz término gran parte de ellas. A mis amigos: Paola Luévano, Carlos Rosales, César Ramos, Rocío Salas, Allan Ramírez, y a Editorial Alamah, del grupo Santillana, por creer en mí; gracias de verdad por su trabajo y dedicación en la edición de esta historia que, estoy segura, motivará a chicos y grandes. Pero, principalmente y de todo corazón, gracias a ti, mi querido lector, que eres el motor para que esta alma escriba por medio de sus pies.

Primera parte

Los guerreros

1. EL mensaje del agua sabia

En algún lugar remoto existía una bella aldea llamada Villa Eclipse. Estaba enclavada en un valle rodeado por montañas y lo atravesaba un riachuelo. La aldea tenía recursos en abundancia; animales y vegetales eran fáciles de encontrar gracias a la fertilidad de las tierras. Quienes allí vivían eran muy felices todo el tiempo aunque, a veces, sin darse cuenta, el temor de perder la dicha que poseían se asomaba a sus vidas de cuando en cuando.

No obstante, la presencia del temor era breve y se desvanecía al recordar que el sitio que tanto amaban era custodiado por tres seres de luz y cuatro magos, guardianes comandados por el Hada de la luz. Los habitantes de Villa Eclipse salvaguardaban la aldea y eran valientes y sabios, pues las voces de sus ancestros los aconsejaban siempre.

Los tres seres de luz eran almas que en el pasado habitaron la Tierra; alcanzaron tal desarrollo que ya no necesitaban un cuerpo para estar en el planeta. Sus nombres eran Tino, Llamita y Paztillín. Los cuatro magos, por su parte, eran seres que, tras una ardua preparación, desarrollaron una virtud: cada uno era complemento del otro; si alguno desaparecía, lo harían todos; si uno se fortalecía, los otros también. Sus nombres eran Lici, River, Sica y Roma.

Eran tantas las fuerzas oscuras y desconocidas a las cuales se enfrentaban estos guardianes que se les concedió la posibilidad de consultar, cada vez que fuera necesario, al Hada de la luz, pues ella tenía claridad y sabiduría para orientarlos en los momentos difíciles. Así, la aldea estaba protegida, lo mismo que sus habitantes.

Una madrugada, el galope frenético de un caballo interrumpió el silencio de la aldea. Éste se detuvo a la entrada del templo donde habitaban los guardianes y de su lomo se apeó, apresurado, un hombre alto y fornido que parecía desesperado. Tocó a la puerta del templo y Llamita, quien siempre fue muy servicial, abrió deprisa. El hombre se despojó de la capa: era Yerpa, uno de los guerreros más antiguos, y su estado era tal que resultaba difícil reconocerlo. Llamita lo hizo pasar y le pidió que se pusiera cómodo, pues era necesario que se calmara para hablar de lo que le sucedía.

Llamita sabía que algo andaba mal, así que dejó al guerrero en la estancia y fue a despertar a los magos y a los seres de luz. Todos llegaron al encuentro del legendario Yerpa y, con sólo verlo, intuyeron la gravedad del asunto. Los guerreros siempre se acompañaban pero, esta vez, Yerpa llegó solo. Alumbrado por la luz de la chimenea, titubeante, el guerrero sólo atinaba a repetir:

—No quedó nada, nadie.

—¿A qué te refieres? —le preguntó Roma.

—Al bosque que se encuentra más allá del valle. No quedó nada. Unas sombras densas y veloces llegaron de pronto, rodearon el lugar y en sólo unos segundos, sin darnos oportunidad de luchar, se terminó todo. Sólo quedaron cenizas del campamento. No me explico cómo logré escapar.

Yerpa no pudo contener el llanto mientras repetía:

—Perdí a mis amigos. No pude ayudarlos. Huí como un cobarde. Debí cuidarlos.

Desconcertados, Roma, Sica, Lici, River, Paztillín, Tino y Llamita escuchaban atónitos la narración de Yerpa. No sólo habían perdido a sus amigos: la aldea estaba en riesgo. Con profunda tristeza y preocupación, cada uno pensaba posibles soluciones.

Entonces, una luz resplandeciente ascendió despacio por las escaleras y avanzó hasta llegar a la estancia. Era el Hada de la luz. Lucía serena, aunque una sombra de tristeza opacaba sus ojos. Los miró uno por uno y dijo:

—La energía de los guerreros en esta Tierra ha dejado de existir. Al cumplir con su misión, han evolucionado. Es momento de encontrar a sus sucesores, quienes serán jóvenes e inexpertos y por ello deberán aprender a enfrentar el reto que hoy se les presenta. Nuestra misión es iniciar la búsqueda con premura o, de lo contrario, la aldea estará en peligro. Sólo seres especiales pueden convertirse en guerreros y debemos encontrarlos.

Todos en el lugar la escuchaban con atención. Llamita preguntó:

—¿Por dónde empezaremos?

El Hada de la luz respondió:

—Debemos esperar hasta el amanecer para saberlo. Vayamos a descansar y, justo con el primer rayo del sol, leeremos el mensaje del agua sabia. Ella nos indicará dónde buscar y quién nos ayudará a encontrar a los guerreros.

Los allí reunidos aceptaron la propuesta de su guía; así, se dispusieron a descansar y hacer acopio de la fuerza necesaria para llevar a buen término la misión que les había sido encomendada.

Antes de que saliera el primer rayo de sol, todos se pusieron en pie. Intuían que el agua sabia les daría el mensaje sólo con la luz de ese primer rayo.

Estaban reunidos alrededor del pozo ubicado al centro del patio del gran templo de piedra. Había un hermoso jardín lleno de flores blancas y bordeado por árboles frutales de gruesos troncos. Se escuchaban ya los cantos de los pájaros que saludaban al nuevo día.

La espera terminó cuando el sol asomó por el horizonte y, lo mismo que el dedo de una mano, el intenso rayo tocó el agua produciendo música luminosa. Sólo con el corazón era posible escuchar y entender el sublime lenguaje. Los convocados parecían haber entrado en una especie de trance, aunque en realidad saludaban y agradecían.

Roma rompió el silencio de voces y le preguntó al agua cómo resolver la situación. De inmediato, el agua iluminada respondió: "Yerpa y Odaglas deberán trabajar juntos para encontrar a los guerreros destinados a proteger a la gente de Villa Eclipse. Para hacerlo, se valdrán del 'pasado', sin olvidar que las cosas no son lo que parecen."

Se hizo el silencio y los rayos de sol se multiplicaron hasta iluminarlo todo.

Los presentes se dirigieron al salón principal. Hablaban al mismo tiempo, en desorden, hasta que Tino gritó:

—¡Calma, silencio! Así no nos pondremos de acuerdo.

Yerpa exclamó:

—De ninguna manera cumpliré la misión con un mocoso como Odaglas. Es un chiquillo que no sabe nada. Su inexperiencia me traerá problemas. No podré lograrlo con él.

—Tiene razón —aceptó Sica—. Odaglas es casi un niño.

—Puede ser que sea casi un niño, pero ése fue el consejo del agua y debemos acatarlo; además, ¿cuándo se ha necesitado tener determinada edad para servir, para cumplir? Le fue asignada una misión y tendrá que asumirla con valentía, dignidad y responsabilidad —dijo River.

—Coincido con River —continuó Roma—; además, a un joven como Odaglas le resultará más fácil escuchar a su corazón pues está libre de rencores o prejuicios que se lo impidan.

—Pero, ¿cómo sabremos dónde están esos guerreros? —preguntó Llamita—. El agua sólo dijo: "Encuéntrenlos con su pasado, que las cosas no son lo que parecen." Es un mensaje difícil de descifrar.

—Creo que comprender el mensaje es tarea de Odaglas —sugirió Paztillín.

—Bueno; si está decidido, que así sea —dijo Yerpa con una mueca—. Vamos a buscar a Odaglas.

Odaglas era un joven de 16 años quien siempre había sido visto con cierta extrañeza por el resto de los aldeanos. Él renunció al trono tras la muerte de su madre y, en cambio, decidió dedicarse a investigar y a ayudar a algunos niños con sus estudios. Se ausentaba durante largas temporadas para visitar tierras lejanas y vivía en una casa pequeña y confortable. Su único acompañante era un gato cuyo nombre era Libro.

Al llegar a casa de Odaglas, los guardianes y el guerrero lo encontraron en las escaleras de la entrada. El chico recién llegaba de un viaje y le sorprendió la visita pues no conocía en persona a ninguno de ellos. Había escuchado hablar de magos, seres de luz y guerreros y, hasta entonces, había creído que su existencia sólo era un mito. Por ello se quedó inmóvil y no supo cómo reaccionar. Yerpa rompió el silencio y dijo:

—Entra a tu casa, muchacho, invítanos a pasar.

Odaglas lo hizo. Uno a uno, los miembros de la comitiva entraron en su casa. El muchacho estaba atónito y no comprendía lo que pasaba. Aunque los miraba con interés, era incapaz de pronunciar palabra. Paztillín se acercó a él, le tocó el hombro y le dijo:

—No tengas miedo. Estamos aquí para pedir tu ayuda.

Estas palabras hicieron que Odaglas se sorprendiera más pero, desde que sintió el contacto de Paztillín, se sintió tranquilo.

Roma tomó la palabra y le habló a Odaglas:

—Sé que te sorprende nuestra visita; sin embargo, temo decirte que eres el motivo por el cual estamos aquí. Verás: hace unos días sucedió una catástrofe y los guerreros defensores de la aldea fueron atacados por fuerzas desconocidas... Sólo sobrevivió Yerpa.

—Bueno, entiendo que sea una situación difícil pero, ¿qué tengo yo que ver en esto? —preguntó Odaglas.

—La situación es la siguiente —explicó Tino—, tu suerte te ha encontrado. Podrás escapar de un título o de un trono, pero no de tu misión. Ha llegado el momento de que la enfrentes. Sabes que tú eres el heredero al trono y el agua sabia nos dijo hoy que tú nos guiarás. Serás el líder que formará el nuevo grupo de guerreros que protegerá la aldea.

—Pero, ¿por qué yo? —cuestionó Odaglas.

—Eso mismo me pregunto —dijo Yerpa—. Eres tan joven que lo único que puedes hacer es estorbarme... ¿cómo me convencieron de venir a buscarte?

—Calma —interrumpió Llamita—, no preocupes a Odaglas. Debemos obedecer el mandato. Es grave lo que sucede y complicada la tarea. No debe haber conflictos entre nosotros ni situaciones que dificulten el logro del objetivo; recuerden que *en la paz de la unidad será más fácil encontrar respuestas.*

—Sí, sí, hay que calmarnos y armonicemos la reunión —dijo Sica.

—Está bien. Yo sólo quiero tratar de entender qué tengo que ver en esto —dijo Odaglas.

—Aún no lo sabemos —dijo Roma—, sólo tenemos claro que eres tú quien debe cumplir esta misión con Yerpa. Es muy arriesgada y difícil; *para tener éxito se necesita amor, valor y paciencia pero, sobre todo, interés por servir.* El agua sabia no se equivoca y es seguro que vio en ti estas cualidades.

—Aunque aún no comprendo, haré lo que me indiquen —aseguró Odaglas, y a continuación preguntó—. ¿Qué es necesario hacer?

Paztillín se acercó y, con voz suave, explicó:

—Existen fuerzas negativas, desconocidas por nosotros. Éstas acabaron con el ejército que resguardaba la aldea y ahora tenemos que formar un nuevo grupo de guerreros que nos proteja.

—¿Por qué no convocan a los mejores soldados del reino? Es la mejor solución —propuso Odaglas.

—Porque así no funciona, muchacho; no se trata de reclutar soldados sino guerreros especiales. De hecho, desconocemos los mecanismos que los llevarán a encontrarlos —explicó Tino.

—¡Cada vez entiendo menos! —exclamó Odaglas.

—*Tal vez las respuestas estén en tu interior y ahí debas encontrarlas*; mientras tanto, puedes ir al lago del espejo y esperar a que tu reflejo te diga aquello que no entiendes —sugirió Llamita.

—¿Dónde está ese lugar? —preguntó Odaglas.

—Recuerdo que, cuando era niño, mi abuelo me llevó hasta allí, pero fue hace tanto tiempo que no sé si encuentre el camino. Si emprendemos el viaje ahora mismo, es posible que lleguemos mañana por la noche —propuso Yerpa.

—¿Es tan lejos? —preguntó Odaglas.

—No es tanto la distancia, sino recordar el camino al andarlo. Puede ser más de un día —reflexionó Yerpa.

—Me parece que no tenemos más remedio que confiar en tu memoria. Yo sé que encontrarás el lugar, así que, mientras ustedes van al lago del espejo, nosotros los esperaremos en el castillo. Allí podremos permanecer sin poner en riesgo el templo —dijo Roma.

—¿No irán con nosotros? —preguntó Odaglas.

—No —respondió Paztillín—. Muchas veces tendrás que viajar solo, pero el hecho de que no nos veas no significa que no estemos contigo.

—¿Qué sucederá si necesito preguntarles algo? —inquirió Odaglas.

—Te hablaremos a través de tu corazón —respondió Paztillín.

Sin estar convencidos, Odaglas y Yerpa se prepararon para salir en busca del lago de espejo.

—Ha comenzado la gran aventura —dijo Lici—. Los engranes ya se han puesto en marcha y sólo nos resta transmitir nuestra energía para que la misión llegue a buen fin.

2. Odaglas recupera su reflejo

Así dio inicio el viaje. Yerpa y Odaglas caminaban uno junto al otro. Odaglas cargaba un morral y en su interior iba Libro, su gato, amigo y compañero.

Y aunque hombre y joven caminaban juntos, sus almas estaban distantes; de hecho, parecía que avanzaban por caminos distintos. Cada uno iba sumido en sus pensamientos; cada uno pensaba en sus responsabilidades, en sus propias estrategias, incluso en los miedos que despertaba en ellos la magnitud de la odisea.

Muchas veces en la vida tendremos que iniciar el camino sin estar justo con las personas que queremos porque son desconocidas, y esto nos dificulta compartir nuestros estilos para ser como uno solo. Tal vez nos enfrentemos a temores que no queremos, pero las circunstancias así nos lo exigen. Éstos son los retos de la vida real y sólo podremos enfrentarlos con paciencia, comprensión, empatía y fe; al aprender de los demás, al ser comprensivos y, lo más importante, al ser conscientes de que cada paso que demos se dirija a la búsqueda de nuestros ideales.

Yerpa y Odaglas andaban temerosos por el camino, pero estaban comprometidos con la misión que se les había encomendado. Después de varias horas sin llegar al lago, el día cedió su lugar a la noche y Yerpa sugirió dormir para continuar al día siguiente.

—Estos ojos cansados ya no logran ver —dijo.

—¿Por qué no cierras los ojos y me muestras tus recuerdos? —sugirió Odaglas.

—¿Cómo se te ocurre? Lo que me pides es imposible —respondió Yerpa.

—No —respondió Odaglas—, haz el intento. Yo tengo amigos que ven así; con ellos he aprendido muchas cosas y te aseguro que *el alma ve mejor que los ojos.* Inténtalo, no perdemos nada. Si no lo logramos, dormiremos aquí.

Sin estar convencido, Yerpa se sentó y empezó a dibujar en su mente el lugar que no visitaba desde hacía mucho tiempo. Entonces se lo describió a Odaglas y éste lo tomó del brazo y comenzó a caminar hasta que, sin darse cuenta, el monólogo de Yerpa se convirtió en un diálogo entre los dos.

Al inicio, Yerpa dijo:

—Es un lugar boscoso; por algunos huecos muy pequeños entra la luz de la luna. Las copas de los árboles son tan altas que pareciera que las ramas se abrazan por encima de todo. Hay unas flores muy peculiares, blancas...

—Sí, son como estrellas caídas del cielo —complementó Odaglas.

—¡Exacto! —exclamó Yerpa, y continúo—. Mientras uno avanza, los árboles se separan, abren el camino.

Lleno de sorpresa, Odaglas exclamó:

—¡El lago de espejo!

Yerpa abrió los ojos, miró a Odaglas y dijo:

—¡Lo lograste, muchacho! ¡Lo logramos! Acerquémonos a ver qué sucede. Vamos, pregúntale dónde encontraremos a los guerreros.

—Sí —respondió Odaglas mientras se acercaba al lago para mirar su reflejo pero, al estar frente a él, descubrió que éste no se asomaba. Sólo podía verlo de pie junto al lago.

Odaglas se asustó y brincó hacia atrás. Su reflejo parecía otra persona, aunque reaccionó igual que él. Sorprendidos y desconcertados, los viajeros no lograban comprender por qué el reflejo no se asomaba a la superficie del lago.

—Es como si tu reflejo fuera el de otra persona, o tú alguien distinto a la persona de tu reflejo —comentó Yerpa y miró al muchacho.

Odaglas se sentía cada vez más confundido, devolvió la mirada a Yerpa y dijo:

—Esto es imposible. Siempre he sido una persona sincera y nunca he intentado ser quien no soy.

Yerpa recordó unas palabras que su abuelo le repetía con frecuencia con el fin de ayudarle a tener una vida plena: *En ocasiones vivimos ciertas experiencias que nos hacen ser mejores personas pues nos fortalecen; sin embargo, hay ocasiones en que esas mismas experiencias nos llevan a ser otra persona. Cuando intentamos protegernos de alguna experiencia dolorosa o evitar que alguien nos lastime, dejamos de ser nosotros mismos sin darnos cuenta. Esto sucede porque nos ponemos un escudo protector tan grande que, aunque nos cubre del dolor, también nos impide amar y ser amados. Nos impide expresar nuestras emociones hasta que, con el paso del tiempo, nos convertimos en alguien distinto por completo a nuestra esencia. Es importante cuidar el corazón, pero eso no significa utilizarlo sólo para bombear sangre al organismo. El corazón merece sentir y experimentar con plenitud.*

—Separarme de mis padres fue muy doloroso para mí —recordó Odaglas, después de un momento de silencio—.

Cuando llegué a vivir con mi abuelo, nada me consolaba; pero él, con su amor y sus atenciones, me ayudó a superar la situación y la tristeza se fue. Lo amaba porque me enseñó muchas cosas: el valor de las personas, de la naturaleza, de los conocimientos y de los sentimientos. Cuando murió me sentí muy triste. Él no se despidió de mí. Prometió estar siempre conmigo, pero no lo hizo.

Odaglas hablaba con lágrimas en los ojos.

—Me dejó con un montón de sueños pendientes y experiencias que con nadie más quiero compartir. Sólo él me comprendía.

El joven interrumpió el discurso de golpe y concluyó:

—Así son las cosas. Decidí que, a partir de entonces, nada me lastimaría. Ahora tengo las riendas de mi vida en mis manos y quiero recorrer mi camino sin depender de nadie y sin la necesidad de compartir mis sueños.

Yerpa lo escuchó con atención, tomó aire y dijo:

—Eso que dices es terrible. ¿Cómo alcanzar en soledad un sueño? *Todos necesitamos de alguien para compartir nuestras alegrías o tristezas.* Aunque sea muy doloroso perder a una persona especial, el tiempo compartido siempre será valioso. ¿No has pensado en lo triste que sería no conocer a nadie especial por la necesidad de protegerte?

Odaglas reflexionó durante un rato.

—Creo que tienes razón —concedió—. Cuidarme para no ser lastimado me convierte en una persona insensible. He temido volver a entregarme cien por ciento a una relación. ¡Por miedo me he convertido en alguien que no soy! —concluyó el joven.

—Allí lo tienes: *aceptar tus errores es un buen principio para darte la oportunidad de cambiar* —respondió Yerpa con ternura.

—Temo que vuelvan a lastimarme —confesó el joven.

Yerpa sonrió y dijo:

—Es lógico, estás vivo. A mí también me aterrorizan muchas cosas pero es importante vencer el miedo. ¿Sabes?, cuando nos atacaron las fuerzas extrañas en el bosque, me salvó la vida saber que mis amigos luchaban junto a mí y, aunque me sentí morir durante algunos segundos cuando los supe muertos, *mi sensación de fortaleza al tenerlos a mi lado, nuestra lealtad y todas las experiencias que compartimos me dieron serenidad para superar su ausencia.* Sé que a ellos no les gustaría verme derrotado porque a mí no me hubiera gustado verlos derrotados. *Pude tener parte de su vida en mi vida y es por eso que continúo en la lucha con amor y agradecido* —luego añadió—. Tienes que darte la oportunidad de vivir algo así, de enriquecer tu vida con las vidas valiosas de otras personas que te den su amor y su fuerza, de pensar siempre que eso que deseas para ellas es lo mismo que ellas desean para ti. Las pérdidas y las ausencias duelen, pero es más doloroso no tener nunca a esas personas, ¿no crees?

Odaglas reflexionaba mientras miraba el cielo. La noche era oscura.

—Me has hecho recordar todos los momentos increíbles que compartí con mi abuelo: su sonrisa, sus enseñanzas, su alegría por la vida. Eso es tan importante para mí que casi no pesa el dolor de su ausencia. Fueron maravillosos los momentos que compartimos.

—Si pudieras regresar en el tiempo por unos instantes y vieras a tu abuelo, si pudieras ver su sonrisa y abrazarlo, ¿aceptarías sentir el dolor de su partida? —preguntó Yerpa.

—¡Claro que valdría la pena! —respondió Odaglas sin pensarlo.

—Querido Odaglas, tú mismo te has respondido la gran pregunta y con ello te has quitado el escudo que no te dejaba ser, porque *si vale la pena sentir algo de dolor por un gran amor, entonces vale la pena arriesgarse a conocer a una persona para sentir ese amor.* Ha llegado el momento de que te asomes al lago de espejo.

Un tanto temeroso, Odaglas se aproximó de nuevo al lago. Lleno de júbilo descubrió que su reflejo había vuelto a ser suyo y, sin dejar de saltar con emoción, gritó:

—¡Soy yo, Yerpa, soy yo! ¡El reflejo soy yo! ¡Por fin soy yo!

Yerpa, contagiado de su entusiasmo, le dijo:

—Pregúntale qué hemos de hacer.

Odaglas, con plena confianza, miró su reflejo y preguntó:

—¿Sabes cómo puedo encontrar a alguien en su pasado sin dejarme llevar por las apariencias?

Su reflejo, tras repetir la pregunta, habló de forma distinta, con esa voz que se escucha en los diálogos interiores:

—Si tuviera que buscar a alguien en su pasado, trazaría la ruta de su historia de vida. Pero, si no debo dejarme llevar por las apariencias, quizá deba rastrear las vidas anteriores. Si busco a un guerrero, necesito encontrar a una persona con sabiduría y valor. Tal vez necesites buscar en muchas vidas pasadas pero, ¿en cuántas vidas? Las cosas antiguas guardan recuerdos. Si tuviera que buscar a alguien en su pasado, lo haría en sus cosas. Las cosas dicen mucho de las personas, así que intentaría encontrar objetos dignos de unos guerreros.

Sin previo aviso, gotas y más gotas comenzaron a caer del cielo y se convirtieron en una tormenta. El agua del lago dejó de proyectar el reflejo y Yerpa y Odaglas partieron en busca de un refugio.

Encontraron un lugar escondido entre la maleza, una cueva tenebrosa ubicada en la base. Aunque allí decidieron pasar la noche, les resultaba difícil conciliar el sueño. El silencio los rodeaba mientras de fondo se escuchaba el estruendo de la tormenta. Odaglas rompió el silencio:

—No aguanto más, ¿qué piensas Yerpa?, ¿dónde podremos encontrar algo así? No hay tiempo para esperar más mensajes del reflejo.

—No podemos partir, necesitamos más información —suspiró Yerpa.

—No es posible —dijo Odaglas—, es mucho tiempo y eso es justo lo que no tenemos.

—Pero podemos perder más tiempo si buscamos algo que no conocemos —replicó Yerpa.

—Podemos ganar tiempo si lo intentamos. La aldea está en peligro —recordó Odaglas.

—Nunca he salido a una misión sin saber qué debo hacer —explicó Yerpa.

—Eso supongo —concedió Odaglas—, pero *las circunstancias determinan las acciones*. Debemos hacer las cosas a nuestra manera.

Yerpa suspiró una vez más:

—Quizá tengas razón, pero la misión es importante. No podemos arriesgarnos.

—¿Qué dices? —cuestionó Odaglas—. *Justo porque es importante no debemos perder tiempo. En las cosas importantes es cuando debemos de intentar cosas nuevas; con prudencia, lo sé, para no poner en peligro nuestra misión, pero sin miedo a innovar.*

—Hagámoslo como dices —apoyó Yerpa—; aunque no me siento seguro, sé que tenemos poco tiempo. Esperar significa arriesgarlo todo. Iniciemos el viaje al amanecer.

Odaglas se sintió embargado por la felicidad de haber convencido con sus palabras al viejo Yerpa. Mientras dormían necesitaban poner las ideas en claro, de manera que Odaglas comenzó a hablar para que, juntos, encontraran la forma de seguir adelante.

—El reflejo dijo que es posible encontrar el pasado de las personas por medio de sus cosas. Como no sabemos cuánto tiempo atrás existieron esos guerreros, debemos buscar objetos muy antiguos, dignos de guerreros. Yerpa, ¿quién del pueblo puede tener ese tipo de pertenencias?

Yerpa lo pensó mucho antes de decir:

—Alguien que tiene en su poder cosas antiguas y valiosas es el anticuario de la aldea, pero es enojón y guarda con celo sus objetos. Dice que pertenecieron a personajes ilustres y por ello los guarda como un tesoro. Son objetos muy codiciados. Han intentado robárselos varias veces. Él sabe de quién es cada cosa en esta vida y en las pasadas. Uno siempre regresa por lo que es suyo, por casualidad o por necesidad. El anticuario dice que sólo entregará los objetos a sus dueños verdaderos.

Odaglas, impresionado, escuchaba con atención mientras continuaba la tormenta. El sueño profundo los venció y durmieron hasta antes de la salida del sol.

9. Una caja dentro de otra caja

Odaglas se preguntaba cómo lograrían que el anticuario les entregara los objetos de su tienda si pertenecían a los guerreros. Aunque no encontraba respuestas, tampoco perdía el ánimo pues sabía que *la solución llegaría en el momento oportuno*. Paso tras paso se sumía más en sus pensamientos. De pronto, Yerpa llamó su atención.

—A lo lejos se asoman las torres de la casa del anticuario —señaló.

Aquellas eran unas torres muy grandes, aunque dañadas por el paso de los años; parecían tan frágiles que daba la impresión de que se derrumbarían en cualquier momento. Sin sentirlo estaban ya ante el portón y ambos se miraron uno al otro antes de tocar.

Odaglas, como niño travieso, tocó tres veces. Esperaron pero, como nadie respondía, la madera del portón sonó de nuevo. Yerpa bajó la mirada.

—Tal vez no se encuentre en casa. Ha pasado tanto tiempo desde la última vez que lo vi que no sé si aún siga vivo —comentó.

—Quizá debamos forzar la puerta —dijo Odaglas.

—No me parece correcto —argumentó Yerpa—. Toquemos una vez más.

El tiempo pasaba sin que recibieran respuesta; por tanto, Odaglas comenzó a buscar un tronco con el cual pudieran derrumbar la puerta. Cuando por fin lo encontró, Yerpa lo ayudó a cargarlo.

Contaron del uno al tres para hacer acopio de toda su fuerza. Se sentían apenados por irrumpir en el hogar del anticuario, pero no había alternativa. Uno... dos... y... escucharon un ruido que los detuvo. De entre la maleza surgió una sombra, luego una nariz, unos ojos, unas orejas: un burro y, tras él, un viejecito malencarado que los observaba sin detener el paso.

—Veo que pretenden echar abajo mi portón —refunfuñó.

Odaglas y Yerpa bajaron la mirada, avergonzados, y Yerpa intentó negarlo.

—¿No? ¿Será que acostumbran viajar con un tronco a cuestas? —preguntó el anticuario.

Sin ponerse de acuerdo, ambos soltaron el tronco al mismo tiempo. El anticuario se detuvo, los miró y preguntó:

—¿Qué hacen aquí?

—Te buscamos —respondió Yerpa.

El anticuario sonrió, introdujo una llave en el cerrojo y los invitó a pasar. Los cuatro, incluido el burro, entraron en la casa.

Odaglas sintió recelo pues Yerpa le había comentado que el anticuario era muy gruñón. Tras amarrar al burro, los tres hombres se dirigieron al salón principal, el cual era un lugar majestuoso. Por todas partes había vitrinas que contenían miles de objetos de cristal, de porcelana, de plata, de bronce... y todo estaba en perfecto orden.

Las vitrinas quedaron atrás para dar lugar a otro salón con techos altos cuyas paredes estaban cubiertas por libreros impresionantes que parecían no tener fin. Ese lugar parecía contener todos los libros del mundo. Un pasillo los condujo hasta una sala muy acogedora donde el anticuario los invitó a tomar un té.

Odaglas seguía fascinado con el lugar y, mientras observaba cada detalle, el anticuario se dirigió a Yerpa.

—Me alegra verte; hacía mucho tiempo que no me visitabas, aunque temo los motivos que te traen aquí.

Odaglas interrumpió y se disculpó por no haberse presentado al inicio. El anticuario lo miró y dijo:

—No hace falta que te presentes. Sé quién eres, aunque tú no me recuerdes. Me llamo Mundo y te conocí cuando tu madre aún te cargaba en brazos. A pesar de que ha pasado el tiempo, es imposible no reconocerte. Heredaste la mirada inquieta de tu madre.

Al escuchar las palabras de Mundo, varios sentimientos invadieron a Odaglas: felicidad por encontrar a alguien que conoció a su madre, nostalgia por aquellos tiempos y tristeza al recordar que ella había muerto. Mundo cortó de golpe el torbellino de sentimientos al comentarle:

—Tu madre dejó aquí algo para ti, pero nunca imaginé que llegaría el día en que vendrías a recogerlo. El hecho de que estés en mi casa significa que estamos frente a un gran reto, lo cual me asusta pues aún eres muy joven. Sin embargo, me consuela saber que todo tiene un tiempo y, aunque la vida aún me sorprende, sé que hoy es un día distinto a los demás. Hoy es un día especial —declaró el viejecillo y se puso de pié. Después, caminó hacia el pasillo y les dijo:

—Vengan..., no se queden allí sentados. Creo que lo que necesito está por aquí.

El largo pasillo los condujo hasta la entrada a otro salón, el cual se caracterizaba por estar lleno de cofres de distintos materiales: cajas de cristal, de maderas muy finas, de metal... Al fondo, muy escondida, estaba una caja de madera maltratada por el paso del tiempo. Mundo la tomó y se la entregó a Odaglas.

—Es tuya —le dijo.

Odaglas la recibió y se sorprendió por el peso de la caja, pues no correspondía ni con su tamaño ni con el material del que estaba hecha. Entonces, Mundo tomó con cariño a Yerpa por el hombro y le dijo:

—Vamos, viejo amigo.

Juntos salieron del salón y dejaron a Odaglas a solas. Yerpa miraba a Mundo desconcertado.

—Espero que esto tenga que ver con lo que buscamos —comentó el guerrero.

—Yo también lo espero. Sabes que no puedo entregarte nada más, pues todo lo que hay aquí tiene un solo dueño —replicó el anticuario.

Odaglas, por su parte, tomó aire y se sentó en un sillón de increíble belleza, miró la caja, tomó la pequeña llave antigua y la giró dentro de la cerradura. Para su sorpresa, dentro de la caja había otra más pequeña de mármol labrado, pero no había ninguna llave para esa segunda caja.

Mientras Odaglas observaba la pequeña cerradura, no dejaba de pensar en lo familiar que le parecía. De pronto, recordó que esa forma era muy similar a la del amuleto que su abuelo le regaló de pequeño y que desde entonces lo acompañaba. Sin dudarlo, sacó el amuleto y lo introdujo en la cerradura. La caja se abrió y dejó ver una carta dirigida a él…

Amado Odaglas:

Siento mucho que leas esta carta porque significa que nuestra aldea está en peligro y ante un reto descomunal. Hijo, eres el heredero al trono y, por ello, tu padre y yo vivimos la amenaza de que fueras separado de nuestro lado. No sé si hicimos lo correcto pero, ante el riesgo de perderte, decidimos dejarte con tu abuelo convencidos de que con él estarías seguro. Aunque sufrimos la separación, sabíamos que estarías bien y a salvo. Eso era lo más importante para nosotros.

Hoy nuestra lucha ha terminado y comienza la tuya. Debes asumir y superar el reto. Si has llegado hasta aquí es porque necesitas aliados confiables y fieles a nuestra causa. La aldea siempre ha sido protegida por los mismos guerreros en esta y en otras vidas; ellos quizá ya lo olvidaron, pero tú deberás recordarles su misión y mostrarles quiénes son. Tal vez te preguntes cómo podrás reconocerlos.

Dentro de este cofre encontrarás siete medallones, incluido el tuyo. Se los ganaron en su primera vida por sus habilidades, amor y compromiso. Ellos y sólo ellos son y serán los únicos dueños de los medallones. Son objetos mágicos; cada uno contiene características propias del portador, lo cual te ayudará a encontrar al dueño de cada medallón.

En cuanto los guerreros los toquen se reactivarán los poderes que les pertenecen, pero éstos cambian de una vida a otra. Es importante que sepas que los poderes se revelarán en cuanto cada guerrero enfrente las adversidades que la vida le reserve.

Cuando estén todos reunidos y hayan cumplido la misión que les espera, deberás recolectar los medallones y resguardarlos en un lugar seguro. Al final deberás devolvérselos a Mundo, pues él es su custodio. Así, los guerreros podrán recuperar los medallones en su siguiente vida. Si alguien robara los medallones podría robar también los poderes, de manera que debes ser muy cuidadoso al entregarlos.

No podrás hablar de ellos ni decirle a nadie la razón por la cual el medallón le pertenece. Busca una forma casual y segura para mostrarlos. Los guerreros pueden ser quienes menos te imagines. Cada medallón te guiará a su dueño, lo mismo que tu corazón. Escúchalos siempre.

Recuerda que te amo infinitamente y que, si sientes flaquear, estoy contigo siempre. Eres parte de mí. Apóyate en los guerreros, ellos siempre te serán leales. No dudes nunca de ellos ni de ti. *Si fueron escogidos es porque tienen la capacidad de superar el reto.*

Te amo por siempre.

Paz
Tu madre.

Tras leer la carta, Odaglas experimentó una mezcla de sentimientos; aunque estaba feliz, se daba cuenta de la responsabilidad que el destino le había encomendado. Sin poder contenerse, lloró conmovido y después se acomodó de tal modo en el sillón que la emoción y el cansancio lo vencieron. Mientras tanto, en el salón, Yerpa y Mundo esperaban.

—Estoy tan nervioso... Odaglas no sale y yo quiero saber qué va a pasar —comentó Yerpa.

—¿Nervioso? Tú sabes lo que buscan —afirmó Mundo.

—Debo confesarte algo: he olvidado muchas cosas con el paso del tiempo. Ya no recuerdo qué es comenzar. En realidad me había preparado para el final de mi vida cuando fuimos sorprendidos por las fuerzas desconocidas; desde ese día me pregunto por qué sobreviví y no encuentro respuestas —luego añadió:

—Justo yo, cuando había guerreros más jóvenes y fuertes. El destino me colocó en el comienzo de una historia cuando yo sólo esperaba escribir el final de la mía —reflexionó Yerpa.

Mundo, quien lo miraba de manera compasiva, le dijo:

—Querido amigo, *sabes que, a medida que pasa el tiempo y evolucionamos, los obstáculos y los retos crecen con nosotros. No siempre serán los mismos; por eso, tal vez la primera vez que se nos presentan pueden sorprendernos y, de alguna manera, llevarnos a fallar, pero gracias a eso también podemos renovarnos. Es tiempo de formar un ejército más fuerte, con otras cualidades y virtudes... el hecho de que seamos viejos no significa que nuestra historia esté por llegar a si fin. Aunque nuestro cuerpo se transforme con arrugas y la mente se llene de olvidos, nuestra alma y corazón rebosan experiencia y sabiduría, mismas que debemos compartir con los demás.*

—Tienes razón, pero, ¿cómo manejo la falta de memoria? Es una debilidad que a cada instante me recuerda que ya no soy el mismo de antes. Me atemoriza hacer cosas nuevas y enfrentarme a lo desconocido —confesó el guerrero.

—Suele suceder —dijo Mundo, después de tomar aire—; eso nos indica que *es momento de ejercitar la mente y las experiencias más que el cuerpo, lo cual será parte del enlace con las próximas generaciones. Necesitamos aprender a entretejer nuestra experiencia con la fortaleza de los jóvenes. Si sientes miedo de hacer cosas nuevas es porque has permitido que la rutina se apodere de ti.* Eso nos sucede a todos —y añadió—. *La rutina no tiene edad para atacar y la única forma de hacerle frente es a través de realizar cosas nuevas. Es difícil empezar pero, si cambias las cosas pequeñas, será sencillo lograrlo con las grandes; así, cuando menos te des cuenta, ya no tendrás miedo a lo desconocido.* De hecho, ya has comenzado. —Una vez más creo que tienes razón; ¡lo haré y no habrá quién me pare! —exclamó Yerpa con una sonrisa.

Ambos rieron a carcajadas tan fuertes que despertaron a Odaglas. Tras abrir los ojos, se incorporó y caminó hasta el salón para encontrarse con Mundo y Yerpa.

En cuanto entró, ambos se acercaron a él llenos de curiosidad y le preguntaron sobre el contenido de la caja. Sin embargo, cuando Odaglas estaba a punto de hablarles acerca de los medallones, se detuvo y quiso comprobar el efecto entre éstos y sus dueños, así que les mostró la caja. Yerpa la abrió y una gran sonrisa se dibujó en su rostro al tiempo que una lágrima de emoción resbalaba por su mejilla; entonces, el medallón que una vez tuvo en sus manos brilló de manera especial.

Yerpa lo hizo girar. El medallón se abrió por la mitad y en su interior estaban grabadas las imágenes de un sol naciente y su propio rostro. Odaglas se sorprendió tanto que de inmediato tomó su medallón e intentó abrirlo. Cuando lo logró, pudo ver tanto su imagen como una gota de agua que caía a la inmensidad del mar. Tras pensarlo unos momentos, propuso:

—Tenemos que tratar de abrir los medallones; así sabremos a quién pertenecen. En su carta, mi mamá me explicó que cada medallón me mostraría a quién buscar; se apresuró y logró girar uno de los medallones, en él se reflejaba el rostro de un joven, quiso abrir los demás pero parecía que los otros estaban sellados pues no se movieron ni un centímetro.

Yerpa lo miró con tristeza pues no quería sofocar su entusiasmo.

—Tal vez sólo el dueño del medallón pueda abrirlo —explicó.

Odaglas, testarudo, tomó los medallones e intentó abrirlos de todas las formas pero fue imposible.

—No lo comprendo, ¿por qué no se abren?

—Quizá para abrirlos debemos reunir a todos los guerreros. Empecemos por buscar al joven que se refleja en este medallón —sugirió Yerpa.

—Perfecto —dijo Odaglas—, empecemos por él. Mañana es domingo y toda la gente verá a los malabaristas en la plaza o estará en el mercado. Habrá tantas personas que quizá lo encontremos.

4. TRES GUERREROS
Y UN GATO

A la mañana siguiente, muy temprano, Odaglas tomó los medallones y los contempló por última vez antes de guardarlos en un pequeño morral que amarró con un listón. Después, miró a Libro.

—Estos medallones irán contigo en el morral; cuídalos bien —le dijo. El gato ronroneó y le respondió con cariños.

Yerpa y Odaglas se despidieron de Mundo. Todos sabían que pronto ocurriría el reencuentro.

El muchacho y el guerrero llegaron hasta la plaza principal y caminaron largo rato entre la multitud. Cada vez había más gente y no lograban encontrar el rostro que buscaban.

Yerpa comenzó a ponerse nervioso pues sentía algo extraño en el ambiente. De pronto, una sombra negra pasó muy rápido e intentó arrebatarle el morral a Odaglas, pero éste lo abrazó con fuerza y pudo impedirlo gracias a que un joven que pasaba le prestó ayuda. El desconocido se aferró al pequeño morral sin saber por qué lo hacía.

En cuestión de segundos se hizo el caos. La sombra desapareció pero Yerpa temía que alguien más notara los medallones, de manera que gritó a la gente que ya los rodeaba:

—Sigan su camino; aquí no ha pasado nada.

El desconocido, aún desconcertado, se disponía a continuar su marcha cuando Odaglas lo tomó con firmeza por el brazo.

—¿Eres tú? —le pregunto. El joven no respondió y sólo lo miraba con fijeza.

Odaglas volvió a cuestionarlo y entonces el muchacho le respondió con unas señas extrañas hechas con la mano.

—Vamos, ese joven está loco. Dale las gracias y déjalo ir —urgió Yerpa, pero el joven no podía soltar el brazo de aquel desconocido que sólo lo miraba. Odaglas sabía que ése era el rostro del medallón y, además, le sorprendía comprender el lenguaje a señas que empleaban los sordos para comunicarse.

Por fin lo soltó y utilizó las manos para decirle: "Por favor espera, necesito tu ayuda." El joven, sorprendido ante el hecho de que Odaglas conociera su lenguaje, decidió esperar. Por su parte, Yerpa no entendía nada y se sentía excluido.

—¿Qué haces? ¡No tenemos tiempo que perder!

—No me digas que no lo reconoces, Yerpa; es él, míralo bien. Es sordo y por eso habla con las manos. Quizás ésa sea la razón por la cual en su medallón está grabado un ojo en medio del horizonte. Por lógica, las personas sordas son visuales y su visión está más desarrollada que la nuestra.

—Vayamos al castillo para explicar a los magos y seres de luz lo que sucede. Yo no creo que él sea un guerrero —sugirió Yerpa, aún desconcertado.

Odaglas, por el contrario, estaba fascinado y lleno de emoción. A señas le preguntó su nombre al desconocido y

éste deletreó "Silus". De camino al castillo, sacó el medallón y lo entregó a Silus. Bastó con que lo sostuviera para que la reliquia destellara tal como lo hicieron los primeros. El camino se hizo rápido por la sorpresa y la felicidad que provocaba tener a un guerrero más.

Sica, asomado desde una ventana, los vio venir y dio aviso al resto de los guardianes.

Roma corrió apresurado a abrir el portón y los tres guerreros fueron recibidos con bombo y platillo por los guardianes. En la imponente sala del castillo, los magos y los seres de luz estaban ansiosos por escuchar las buenas nuevas.

Odaglas fue el primero en hablar, contó con detalle cómo encontraron a Silus y lo presentó a los guardianes. En cuanto terminó el relato en lenguaje de señas, suspiró profundo y se sentó, al tiempo que esbozaba una gran sonrisa. Los guardianes estaban atónitos y sorprendidos.

—¿Qué les parece si llevamos a nuestro guerrero a comer y descansar para que recupere fuerzas? —rompió el silencio Sica.

Paztillín y Roma aceptaron y después llevaron a Odaglas a uno de los salones del castillo. Cuando estuvieron allí, le preguntaron:

—¿Por qué estás tan feliz si sabes que tenemos un reto más?

Odaglas sabía que se referían al hecho de que Silus era sordo, de manera que, tras reflexionar un poco, dijo:

—Tal vez para alguien que desconoce el lenguaje a señas ésta sea una tarea complicada, pero yo sé que *las personas sordas desarrollan distintas habilidades a las nuestras. Muchas veces juzgamos a los demás por su apariencia o aptitudes físicas sin darnos la oportunidad de conocerlos; incluso nos*

atrevemos a juzgarnos a nosotros mismos sin probarnos en la situación que se nos presente—. Luego añadió:

—*Cada instante es una oportunidad para renovarnos y aprender, pero el miedo a no lograrlo o a lo desconocido nos hace construir barreras. Para atrevernos hacer cosas nuevas debemos estar dispuestos a aprender y a acercarnos a las personas adecuadas para guiarnos. Si existe confianza, existe éxito.*

—¿Has escuchado a nuestro muchacho, Roma? —preguntó emocionada Paztillín—. Sin duda, tiene en el corazón la magia que hace que las cosas sucedan.

—Sí —dijo Roma, convencida—. No hay motivo alguno de duda o preocupación. En adelante sólo recibirán confianza y apoyo de nuestra parte. Vamos a reunirnos con los demás para conocer mejor al joven Silus.

Mientras tanto, en el pueblo sucedía un fenómeno extraño: algunos niños comenzaron a presentar actitudes no apropiadas para su edad y contrarias a su naturaleza; por ejemplo, dejaron de jugar, no sonreían y estaban de mal humor. Parecían haber contraído una enfermedad, pero ningún mal físico estaba a la vista.

Cuando el curandero de la aldea concluía la visita, no tenía más qué decir a los padres que: "El niño está muy bien, tal vez sea cuestión de tiempo." No obstante, en lugar de desaparecer, los síntomas se presentaban en más niños cada vez.

Los rumores sobre la situación se dispersaron pronto hasta cruzar los muros del templo. Preocupados, Tino y Lici convocaron a los demás guardianes a una reunión y, al estar juntos, dijeron:

—Tenemos que darnos prisa. El mal ya ha comenzado a atacar a nuestra gente y lo ha hecho con los más frágiles, con nuestro tesoro: los niños.

Preocupados, los guardianes fueron en busca de Odaglas para ponerlo al tanto de la situación y lo encontraron en el acto de explicarle los hechos a Silus. Los magos le pidieron que se diera prisa y Odaglas fue por su morral, pues necesitaba encontrar al portador del siguiente medallón.

5. EL GUERRERO QUE LEÍA CON LAS MANOS

En cuanto Odaglas tomó el medallón, éste se abrió con facilidad y le mostró la figura grabada de algo parecido a una onda sonora y el rostro de un joven. "Éste es el chico a quien necesitamos encontrar", le dijo a Silus a señas y le mostró el medallón. Silus lo estudió durante algunos segundos y respondió con las manos: "Yo he visto a ese joven en la biblioteca de los monjes." "¿Estás seguro?", preguntó Odaglas y Silus afirmó con la cabeza. "No hay tiempo que perder, vayamos; esperemos tener suerte y encontrarlo."

—¡Yerpa, Yerpa! —llamó el joven—. Creo que sabemos dónde está el cuarto guerrero. ¿Libro? ¿Libro? Es hora de irnos, ¿dónde estás, Libro?

Silus leyó los labios de Odaglas y lo miró con extrañeza. Le parecía una manera rara de buscar un libro y, a señas, preguntó: "¿Para qué quieres un libro? Vamos a una biblioteca, ahí puedes encontrar cualquier libro."

Odaglas sonrió y le explicó en su lenguaje: "Libro es mi gato; así lo nombré porque *no hay mejor compañero de viaje que un libro* y, en efecto, él ha sido un gran compañero de viaje."

El gato corrió hasta Odaglas, quien lo presentó a Silus. "Mira qué bien cabe en mi morral", le dijo con señas.

Así, los tres guerreros y el gato iniciaron el camino hacia la biblioteca de los monjes. En el trayecto, una caravana de circo les impidió el paso.

—¿Esta fila no terminará nunca? —protestaba Yerpa, desesperado.

Al mismo tiempo, una voz gritaba: "¡Vengan, sean testigos de los trucos de magia más increíbles hechos por las manos que parecen pies y los pies que parecen manos! ¡Vengan, vengan, no pueden perdérselo!" La caravana siguió hasta alejarse y permitirles el paso. La voz se perdió en el camino.

—¡Por fin! —dijo Yerpa—, pensé que nunca terminaría. Ya falta poco, sigamos.

Odaglas y Silus lo siguieron hasta llegar a la entrada principal de la biblioteca de los monjes. En el interior buscaron al muchacho, pero era un lugar enorme lleno de libros y libreros; era como un gran laberinto de hojas.

Planeaban una estrategia para encontrar al nuevo guerrero cuando Libro escapó del morral con el medallón enredado en una pata, corrió y todos fueron tras él. Daba la impresión de que algo lo había asustado, pero no vieron nada. Sin embargo, los gatos tienen una percepción distinta a la de los humanos y Libro había sentido algo que lo aterró al punto de salir disparado del morral.

Increíblemente, un joven que leía detuvo al gato, lo cargó sin mirarlo y preguntó a Odaglas:

—¿Es esto lo que buscas?

Sofocado y nervioso, el muchacho respondió que sí al tiempo que devolvía a su amigo al morral. Suspiró de alivio al ver que el medallón continuaba enredado en su pata. Con cuidado de no ser visto, pronto lo desenredó y lo guardó. Lo extraño de la situación le impidió percibir el destello del medallón.

Silus y Yerpa llegaron con la respiración entrecortada. Yerpa sostuvo la mirada en el rostro del joven lector y, con una sonrisa, le dio un codazo a Silus para indicarle que ante ellos estaba el cuarto guerrero. Silus también lo reconoció y, con señas, le dijo a Odaglas: "Es el dueño del medallón; ¡lo encontraste!"

Odaglas, sorprendido, volteó y vio al joven que estaba a punto de marcharse.

—¡Espera!, ¿cómo te llamas? —le gritó.

El joven regresó sobre sus pasos. Al verlo de frente, notaron que sus ojos eran algo extraños.

—Me llamo Tor —les dijo al acercarse.

—¡Mucho gusto! —exclamó Odaglas al tiempo que Silos y él extendían la mano para estrechar la suya, pero Tor no correspondió al saludo y sólo sonrió.

—Mucho gusto y hasta pronto —les dijo.

Yerpa, molesto por la actitud del joven al no corresponder a su saludo, estaba a punto de dar media vuelta mientras pensaba que alguien tan de mala educación no podría ser un guerrero. Entonces, Odaglas dijo:

—No, no, Tor, espera. ¿Podemos platicar contigo un momento?

Silus detuvo a Yerpa pues necesitaban conocer más sobre Tor, quien, desconcertado, aceptó la invitación.

Poca gente se le acercaba. Desde niño, la forma mística en que las personas percibían a Tor, las ahuyentaba. Los padres de Tor siempre explicaban que su hijo no las observaba de forma extraña porque, en realidad, el joven no veía. Era tal su habilidad para escuchar que hacía cosas increíbles como identificar los pasos de cada persona a mucha distancia; así, cuando él la saludaba, no creía que fuera ciego. Sin embargo, las explicaciones no valían de nada. Tor era un niño muy solitario y, en cierta medida, triste por la incomprensión de los demás.

Su padre trabajó durante muchos años en una imprenta y allí conoció un sistema muy especial para que su hijo pudiera leer: era el sistema Braille, inventado en el siglo XIX, el cual se sustenta en un símbolo formado por seis puntos: aquellos que están en relieve representan una letra o signo de la escritura en caracteres visuales. Es importante destacar que no es un idioma, sino un código. El tamaño y distribución de los seis puntos que forman el "signo generador" no es un capricho, sino el fruto de la experiencia de Louis Braille. Las terminaciones nerviosas de las yemas de los dedos son aptas para captar este tamaño en particular.

Fue así como Tor leyó muchos libros que su padre traducía al código Braille pero, como este sistema era poco conocido por los habitantes de la aldea, se asustaban al ver que un joven podía leer libros que, desde su punto de vista, estaban en blanco.

Solitario en la vida real, Tor creció con el deseo de vivir una aventura similar a las que leía; también deseaba un amigo y un amor que lo comprendiera y lo aceptara pero, al confrontar la actitud que las personas adoptaban con él, poco a poco se desvanecían sus esperanzas de lograrlo. En realidad, Tor vivía a través de los libros.

Cuando los guerreros le pidieron un momento para hablar con él, Tor aceptó sorprendido y temeroso. Entre todos buscaron un lugar adecuado para hacerlo. A Odaglas

no le importaba que Tor fuera invidente; Yerpa, en cambio, no se encontraba muy cómodo.

—¡Uno más! —exclamó, con la mirada hacia el cielo.

Para Silus, la condición de Tor era increíble pues nunca había estado con alguien así. Mientras Odaglas le explicaba la situación a Tor, Silus repetía completo su vocabulario en señas ante sus ojos en un intento por comprender qué significaba no ver nada de nada. Como es evidente, Tor no se daba cuenta de ello pero Odaglas y Yerpa sí, de manera que intentaron contener la risa y calmar a Silus con discreción.

Cuando terminaron de hablar con Tor, él se limitó a sonreír y dijo complacido: "Parecen haber salido del mejor libro que he leído: el libro de mi vida, que está por comenzar. Esto es lo que siempre he deseado; ¡cuenten conmigo!"

Sorprendidos y felices por la respuesta de Tor, lo acompañaron a su casa para que recogiera lo esencial. Tor sabía que estaba a punto de iniciar un largo viaje.

De regreso al castillo, los guerreros presentaron a Tor con los guardianes, a quienes ya no les sorprendía la situación. Odaglas le entregó el medallón frente a todos y así fueron testigos de que él era su dueño legítimo: bastó que los dedos de Tor lo tocaran para que volviera a brillar con intensidad.

Mientras tanto, al otro lado de la aldea, las sombras se hacían más densas conforme pasaban los días. Algunos sembradíos, antes llenos de aldeanos que trabajaban, estaban desiertos, infestados, secos. Las tierras estaban abandonadas sin importar el destino de la cosecha. Aquello era una locura pues el campo era la fuente de subsistencia de Villa Eclipse.

La pereza se había apoderado ya de algunos aldeanos que, sin razón aparente, habían olvidado sus sueños de progresar, de brindar una vida mejor a sus familias y de proveerles alimento. Se sentían cansados, deprimidos, débiles, y por eso abandonaban sus trabajos.

En el castillo, Odaglas insistía en buscar al quinto guerrero pero los magos lo convencieron de no hacerlo. Era tarde y podía poner en riesgo los medallones. No muy convencido, el muchacho aceptó quedarse.

En la soledad de la alcoba que le fue designada, Odaglas vio que su morral se movía: era Libro que tenía hambre, así que el joven fue por un tazón para servirle leche. Mientras observaba beber a su fiel amigo, Odaglas decidió abrir un medallón más para descubrir el rostro del siguiente guerrero. Así lo hizo y un arco iris entre nubes acompañado por un rostro se mostraron ante él. El sueño lo venció con el medallón entre las manos. ¡Estaba más que comprobado que el medallón también podría abrirse con Odaglas!

6. El joven que se movía entre las sombras

A la mañana siguiente se aprestaron a continuar la búsqueda; sin embargo, al dejar el castillo descubrieron que sus víveres eran escasos y que no podrían seguir adelante sin alimentos, pues necesitaban energía suficiente para su empresa y para vivir.

Mientras recorrían la aldea, con tristeza descubrieron que los expendios estaban vacíos y que no podían comprar nada: el abandono del campo causaba que la comida no fuera suficiente.

Preocupados, los guerreros siguieron adelante. Iban inmersos en sus pensamientos cuando un niño presuroso se les atravesó en el camino. Con una mano, Silus detuvo al niño quien, lleno de terror, comenzó a gritar.

—Calma, calma —pidió Odaglas—. Sólo queremos saber dónde podemos comprar comida.

El niño intentó calmarse. Era cierto que aquel grupo era peculiar y, al inicio, el miedo le provocó sus gritos. Ya un poco más tranquilo, el pequeño les dijo que el único lugar donde encontrarían comida estaba rodeado por leyendas. Se decía que por allí merodeaba un joven que al caminar provocaba un sonido sin ritmo. Dicho joven sólo se movía entre las sombras y generaba historias entre los pobladores.

Le gustaba coleccionar artefactos extraños y, cuando se dejaba ver, las madres impedían que sus hijos se le acercaran. Decían que era receptor de un maleficio y que su cuerpo se volvía de madera. Todos creían que su corazón ya era de ese material y por eso le temían. Algo sabían sobre esas historias Odaglas y Tor, pero ninguno de ellos había tenido la oportunidad que ahora se les presentaba de conocer al peculiar sujeto.

Una mujer que llenaba su cántaro en el río escuchó lo que el niño decía al grupo. En cuanto Silus lo soltó del brazo, la mujer se acercó a los guerreros y les dijo:

—Los niños tienen mucha imaginación. Aunque la gente ignora muchas cosas, no se toma la molestia de investigar. *Investigación mas imaginación hacen una gran historia, pero ignorancia mas imaginación hacen una gran mentira.* El joven que ronda la aldea entre las sombras es dulce, ingenioso y soñador —la mujer sonrió con picardía al tiempo que se sonrojaba—. Y es guapo —agregó.

Ella pensaba continuar, pero Yerpa la interrumpió.

—Ha sido suficiente; buscamos víveres, no esclarecer una leyenda. Sigamos —ordenó y casi a rastras se llevó a los muchachos, quienes con facilidad quedaron prendados de las palabras de la mujer.

Apenados, los jóvenes se despidieron de ella desde lejos y la mujer, en correspondencia, sonrió y agitó la mano. Los guerreros siguieron su camino. Caminaron y caminaron; el sol ya se ponía y ellos no encontraban ninguna tienda. Sin comer y sin tomar ni gota de agua, la noche los alcanzó.

Entonces decidieron descansar pues la energía se les había agotado. La oscuridad de la noche les dificultaba se-

guir adelante, de manera que decidieron esperar a que amaneciera y entre anécdotas los venció el sueño.

No los despertó el canto de los pajarillos sino el rechinar de sus tripas. Pronto, los guerreros se pusieron en pie para continuar. Sus pasos eran lentos y pesados pues su energía se agotaba cada vez más. Así transcurrieron las horas hasta que vieron al sol desvanecerse de nuevo y brilló la luz de la luna.

Agotados, se desvanecieron y cayeron en estado de semiinconsciencia. De repente les pareció que las estrellas habían bajado hasta volar junto a Odaglas. En realidad se trataba de un grupo de luciérnagas mágicas enviadas por los guardianes con un mensaje para Odaglas, así que se acercaron a su oído y le dijeron:

—Odaglas, tienes que seguir adelante. A veces el cansancio puede vencernos, pero debes sacar fuerzas de tu corazón. Recuerda tu misión y esfuérzate un poco más. Puede ser que lo que buscas esté a unos cuantos pasos. Si no lo intentas, nunca sabrás lo cerca que estuviste de lograrlo.

Tras escuchar el mensaje, Odaglas despertó lleno de energía, se levantó y se cercioró de que sus amigos estuvieran a salvo. Yerpa estaba muy débil, por lo cual Odaglas debía darse prisa y adentrarse en la oscuridad incierta.

Tras andar un poco encontró la tienda que, en efecto, estaba en una esquina cubierta por las montañas. Sólo había sombras alrededor y, de pronto, escuchó unos pasos sin ritmo.

Odaglas no tuvo tiempo de sentir temor pues necesitaba agua y comida para sus amigos y para sí mismo; Yerpa era quien más le preocupaba. Sin dudarlo, llamó al caminante y le pidió ayuda. El aludido, con sorpresa de que alguien a esas horas y en esas condiciones necesitara de él, sintió miedo.

—Por favor, no me dejes. ¡Ayúdame! Mis amigos necesitan... —suplicó Odaglas.

El joven notó la sinceridad y la desesperación de Odaglas; así que, antes de que éste terminara de darle explicaciones, le dijo:

—Está bien, vamos.

Odaglas le pidió que llevara consigo agua y comida. Ambos caminaron de prisa y encontraron a Yerpa, Tor y Silus sobre el suelo y sin demora les dieron agua hasta lograr reanimarlos. Tras ponerse en pie y sostener a Yerpa, los cinco hombres emprendieron el camino a la tienda.

Los guerreros estaban muy agradecidos y el joven se sentía feliz por haberlos ayudado. Emocionado porque nunca antes había recibido visitas, el joven les ofreció una cena deliciosa y los invitó a pasar el resto de la noche en su hogar. Tanto los huéspedes como el anfitrión se sentían llenos de ánimo.

—¿Cómo te llamas? —preguntó Tor, en medio del alboroto.

Todos rieron pues hasta entonces se percataron de que estaban a punto de terminar de cenar y aún desconocían el nombre de su anfitrión y salvador.

—Me llamo K-los —respondió el aludido—. No se los había dicho porque no pensé que les interesara. Me parece que tienen cosas más importantes que hacer que entablar amistad con alguien como yo.

—¿Alguien como tú? —preguntó Tor, sorprendido—. Eres una persona amable; no te importó salir en la oscuridad con un desconocido para ayudar a otros extraños. Eso habla muy bien de ti. Cualquiera querría tener un amigo como tú.

—Bueno —dijo K-los—, tal vez lo ves así o, más bien, como no ves, piensas así.

Todos rieron y, después, K-los comenzó a contar su historia:

—Fui un niño común; como todos, corría y jugaba con los demás. Vivía feliz hasta que, cierto día, mi madre volvió de entregar unos vestidos. Ella era costurera y confeccionaba vestidos hermosos para novias. Orgullosa, decía: 'Yo hago lo más importante de la fiesta: el vestido', y luego sonreía. Para ella, cada bordado estaba lleno de ilusión y por eso le gustaba tanto su trabajo. Pero bueno, como decía, ese día, cuando la vi tan linda como siempre, noté que cargaba varios paquetes. Sólo pensé en correr a ayudarla y no me fijé por dónde andaba. Sólo corrí...

Los ojos de K-los se llenaron de lágrimas y la voz se le entrecortó por los recuerdos. Entonces sintió la mano de Yerpa sobre su hombro.

—Un carruaje venía a toda velocidad. Ella corrió hacia mí para protegerme; yo me asusté, no sabía qué sucedía, no supe cómo reaccionar y quedé inmóvil. Sin más, el carruaje la arrolló. Ella dio la vida por mí y me salvó de morir, pero una de las ruedas destrozó mi pierna. No pudo hacerse nada, así que me la amputaron—. Luego añadió:

—Al despertar descubrí que ya no tenía madre ni vida. En este cuerpo incompleto dejé de ser yo, perdí a mi familia y mamá murió por mi culpa.

K-los se desmoronó y lloró sin parar. Una fuerte ventisca entró por la ventana y todas las velas se apagaron, excepto una que quedó encendida. La luz se transmutó hasta cobrar la forma de uno de los seres de luz: Llamita. Sorprendidos, los guerreros se pusieron de pie pero ella les guiñó un ojo y con ello los invitó a sentarse de nuevo.

K-los quedó atónito: no podía creer lo que veía. Llamita se acercó a él con tal ternura que le transmitió su paz y entonces dijo:

—Lo que cuentas es muy grave pero, sobre todo, es un gran error. *Una madre haría lo que fuera por salvar a su hijo y tú no tienes la culpa de nada. Hay cosas que no podemos explicar pero que, sin duda, tienen una razón de ser.*

—No encuentro razón alguna para que mi mamá ya no esté conmigo ni para tener esta pierna que sólo provoca que la gente me tema o diga que mi corazón es de madera. Me han condenado a vivir entre las sombras —replicó K-los. Llamita lo miró con ternura y preguntó:

—¿No has sido tú quien se ha condenado a vivir entre las sombras?

—No, no —dijo K-los—. Cuando la gente me mira como lo hace, cuando murmura, no me deja otra salida.

—Claro que hay otra salida —dijo Llamita—. *Hablar desde el corazón*, explicar lo que sentías sobre tu pérdida. Cuando te alejaste de las personas y te encerraste en tu mundo, los demás asumieron que tenías el corazón de madera. *A todos nos duele perder algo pero, si te hubieras apoyado en los demás, te hubiera resultado más sencillo aceptar las ausencias* y los pobladores de la aldea te hubieran aceptado también. *Las pérdidas del cuerpo y del alma nunca se superan: se aceptan de la misma manera como aceptamos la vida, con sus buenos y sus malos momentos. La vida es tan grandiosa que la aceptamos a pesar de todo y la preferimos ante todo.* Tu madre la prefirió para ti y eso es lo que debes tener presente.

—Pero, ¿por qué me ocurrió a mí? Lo tenía todo; mi mundo era perfecto tal como estaba —preguntó K-los. Llamita, con la misma compasión, respondió:

—¿Por qué? Hay cosas que no tienen una razón. Mi nombre me lo asignaron en honor al fuego, el cual es una energía que aceptamos así como es, no la cuestionamos ni la ponemos en duda. *Hay cosas en la vida que no tienen un por qué y no debes desgastarte en intentar encontrarlo. Mejor usa esa energía para hacer cosas positivas. Empieza por aceptarte y aceptar tu situación porque, una vez que la aceptes, podrás trabajar con ella y no contra ella.* Eso es más productivo para ti y para quienes te rodean. Sigue adelante y, si tu mamá te brindó la oportunidad de vivir al salvarte, entonces vive, vive —al decir esto, Llamita se desvaneció.

En los corazones de todos resonaron las palabras de Llamita. K-los tenía un semblante diferente y, aunque no había aceptado del todo su pierna de madera, su mirada tenía un brillo muy distinto.

Entonces, se levantó de la silla y les ofreció a todos una bebida que no conocían y que unos viajeros se la habían obsequiado a cambio de víveres y hospedaje.

Los viajeros le contaron sobre un árbol silvestre de los bosques que crece muy alto y cuya corteza es delicada y pulida. Su follaje se conforma por pocas ramas y debajo de ellas crecen los frutos: vainas como de un palmo de largo, entre verdes y blancas, en cuyo interior guardan granillos como garbanzos, pero chatos y un poco amargos que contrarrestan el efecto de cualquier veneno. Con esos granos se hace la bebida.

Se trata de una planta magnífica y deliciosa originaria de México, que por mucho tiempo sirvió como moneda.

La bebida que K-los les ofreció era chocolate. La increíble poción mágica, como la llamó Odaglas, llenó de felicidad a los guerreros sólo con su aroma.

Después, K-los los invitó a descansar y les mostró sus habitaciones. Los guerreros necesitaban hacer acopio de energía para continuar con su misión.

Antes de rendirse al sueño, Odaglas sacó a Libro del morral pues necesitaba alimentarlo. Mientras Libro comía feliz, Odaglas extrajo el medallón y, cuando lo abrió, descubrió que el rostro labrado en él era el de K-los.

No lo había descubierto antes por sentir tanta sed y hambre; además, K-los no permitía que lo observaran con detenimiento pues estaba acostumbrado a moverse entre las sombras y con la cabeza agachada.

Sin embargo, K-los cambió su postura después de que Llamita apareció ante él y le habló. A partir de entonces levantó el rostro y sólo entonces Odaglas pudo mirarlo, pero no relacionó su imagen con la del medallón.

Odaglas se levantó y, con el medallón en las manos, fue hasta donde descansaba K-los. Cuando lo colocó junto al joven, el medallón destelló para confirmar que había encontrado a su dueño. K-los estaba exhausto, de manera que Odaglas decidió no despertarlo y esperar hasta el día siguiente para darle la noticia. De regreso en su habitación, se acurrucó con Libro y durmió feliz: ya sólo faltaba un guerrero para completar el grupo.

Un delgado rayo se filtró por la rendija del cuarto donde Odaglas descansaba. Libro despertó con un ronroneo que, a su vez, despertó a Odaglas. Al abrir los ojos, desconcertado descubrió que el cuarto lucía igual a la noche anterior: la oscuridad era increíble.

—Tu casa es muy oscura —le comentó Odaglas a K-los, quien preparaba víveres para sus nuevos amigos.

—Tienes razón; antes sólo me sentía seguro entre las sombras y no me daba cuenta de que *esconderme de mi situación no la cambiaría*. Pero ayer, cuando su amiga vino a visitarnos, reflexioné y decidí no esconderme más. Hacerlo es no aceptar la felicidad. Remodelaré este lugar y abriré las ventanas que un día cerré. Quizá construya unas nuevas. Será difícil acostumbrarme, pero sé que el sol siempre ha brillado de manera hermosa. He decidido tener fe y pensar que, así como el sol, mi vida brillará de nuevo —aseguró K-los.

Con una sonrisa amplia, Odaglas lo felicitó por su decisión.

—Me alegra que hayas cambiado tu forma de pensar, aunque la remodelación tendrá que esperar. Debes viajar con nosotros —le dijo.

—¿Yo? ¡Eso no es posible! ¡Sólo les haré más largo el viaje! —respondió K-los, sorprendido.

—No, no pienses así. Tu historia no es tan distinta de la nuestra. En algún punto hemos coincidido: yo también perdí a un ser amado y aún trato de aceptarlo. Tor y Silus también tienen cualidades distintas a los demás. Tal parece que algo tenemos que aprender de todo esto— luego continúo:

En el camino de la vida, el viaje se hace más lento o más rápido según seamos por dentro y según lo que podamos compartirle a nuestra alma, mas no por cómo es nuestro exterior —explicó Odaglas y le mostró el medallón. Cuando K-los lo abrió, Odaglas le dijo:

—Éste eres tú: un guerrero que estaba en las sombras y que hoy no sólo se iluminará a sí mismo, sino que nos dará luz a los demás.

Entonces Yerpa, Silus y Tor llegaron a tiempo para presenciar el momento y guardaron silencio pues, sin duda, era tan especial que no quisieron interrumpirlo.

K-los, con lágrimas en los ojos, tomó el medallón y se lo puso. Los demás aplaudieron felices.

—¡Bienvenido! Ahora sí estamos listos para seguir. No hay tiempo que perder —exclamó Yerpa.

Tor, Silus y K-los cargaron sus pertenencias, pero Odaglas sugirió:

—¿Qué tal si antes tomamos un poco de la poción mágica para caminar con más energía?

Todos rieron y aceptaron la propuesta. Mientras bebían, le pidieron a Odaglas que abriera el siguiente medallón para saber a quién tenían que buscar ahora. Atentos, emocionados y nerviosos esperaban la revelación pues sabían que se trataba del último medallón. La búsqueda hasta entonces no había resultado sencilla y ni siquiera habían comenzado la misión en forma.

7. Una Luz rosada

¡Es una mujer! —exclamó Odaglas después de sacar el medallón de su morral y abrirlo ante la expectación de los guerreros.

—¡Una mujer! —repitieron a coro los demás, sorprendidos.

La imagen que acompañaba al rostro era una estrella fugaz.

—¡Es muy linda! —observó Odaglas, mientras el resto de los guerreros observaba el grabado con ternura. Sin demora, todos se prepararon para continuar con la búsqueda.

Mientras caminaban, Yerpa dijo:

—Ese rostro me parece muy familiar. Yo lo he visto.

—¿Dónde? —preguntaron a coro sus compañeros.

—No lo recuerdo —respondió Yerpa.

Desanimados, los guerreros continuaron el camino. Anduvieron durante muchas horas sin encontrar alguna pista que los condujera hasta la joven del medallón. El sol estaba por ponerse cuando encontraron una posada y decidieron pasar ahí la noche. Tal vez la convivencia con sus moradores les permitiría encontrar algún indicio que guiara su búsqueda.

Sin embargo, no pudieron dejar nada en claro porque era muy difícil encontrar a una joven en esos lugares y sabían que no podían preguntar por ella de casa en casa. El tiempo apremiaba. Ya en los cuartos que les habían asignado, los guerreros intentaban pensar dónde podrían encontrarla.

Odaglas tomó el medallón, lo abrió y miró de nuevo el grabado de la chica. Él también sentía en el corazón que ya la había visto antes, pero sabía en su mente que no era así. Mientras intentaba comprender su sentimiento, el muchacho se quedó dormido con el medallón entre las manos y no se dio cuenta de que la ventana de su alcoba quedó entreabierta. Una fuerte ventisca la abrió de par en par.

Sigilosa se desplazaba como el humo una sombra negra que invadió parte de la habitación hasta la cama donde Odaglas dormía. La sombra cubrió las manos del guerrero y trató de quitarle el medallón. Cuando envolvió el objeto con su oscuridad estuvo dispuesta a esfumarse, pero Libro abrió un ojo y, con un maullido, le lanzó un zarpazo.

El ruido despertó a Odaglas, quien de inmediato se incorporó, comprendió lo que sucedía, alcanzó a sujetar el cintillo del medallón y forcejeó con la sombra. La lucha duró algún tiempo. Ya casi recuperaba Odaglas el medallón cuando la sombra se desdobló, volteó hacia Odaglas y lo miró de tal forma que a éste se le erizó la piel. Luego emitió un grito muy agudo y se desvaneció.

El alboroto provocó que el resto de los guerreros despertara para ir hasta la habitación de Odaglas. En cuanto lo vieron supieron cuán grave era la situación. El joven, aún aturdido, les contó de inmediato lo que había sucedido mientras todos lo miraban, atónitos.

Silus, a señas, le dijo: "Tus manos sangran." Odaglas no había notado que en el forcejeo se había lastimado las manos. De prisa, Tor y K-los fueron a conseguir un remedio para curarlo, pero las heridas en realidad no le importaban:

no sentía dolor; por el contrario, estaba muy orgulloso y tranquilo por haber protegido el medallón.

Ya con las vendas que le colocaron sus amigos, Oda-glas les pidió que fueran a descansar pues quería partir al amanecer. Los demás aceptaron. Todos se sentían preocupados por lo sucedido y por la salud del joven guerrero quien, esta vez, se cercioró de cerrar bien la ventana y guardar el medallón. Después, abrazó a Libro para darle las gracias y éste respondió con un ronroneo.

Minutos antes de la salida del sol, los guerreros estaban listos para continuar el viaje. A su paso encontraron caminos muy áridos y un fuerte viento les hacía complicada la marcha. El viento era más y más fuerte a cada instante. Los guerreros sortearon diversos objetos que eran arrastrados por la fuerza del viento y cada paso que daban se hacía más lento pero, al mismo tiempo, más firme.

Al levantar la pierna para dar un paso, la otra pierna de K-los se desprendió al vuelo, como acto reflejo. Tor escuchó el muy tenue sonido y levantó la mano, atrapó la pierna en el aire y se la devolvió a K-los quien, un poco apenado, la tomó y se la colocó en su sitio de nuevo. Todos rieron.

—Así es la vida, *mientras más fuertes son las corrientes que quieren desprendernos de nuestras convicciones, más firmes tienen que ser nuestros pasos para impedir que nos arrastren. No importa que andemos lento; sin embargo, si la corriente nos arrastra, necesitaremos estar rodeados de buenos amigos sin menospreciar a nadie, pues quien menos imaginamos puede ayudarnos a recuperar lo perdido* —observo Yerpa, sin parar de reír.

Pensativos, los guerreros siguieron adelante. El viento se calmó y, ya con poca fuerza, llevó hasta ellos un cartel del circo que días atrás les había impedido el paso de camino a la biblioteca. Estaban por hacerlo a un lado cuando parte de la tierra que lo cubría se esfumó y dejó ver el rostro de una joven que hacía magia. Era parecida a la chica del medallón, pero no podían asegurarlo pues el polvo y el viento habían deteriorado el papel y la imagen. Sólo sus ojos habían permanecido intactos. Tras comentarlo durante unos minutos, los compañeros estuvieron de acuerdo en que ella era la guerrera que buscaban pero, ¿cómo la encontrarían?

—Si el circo estaba en el pueblo, no debe andar muy lejos. Los circos van en caravanas, visitan los caseríos cercanos y permanecen entre ocho y quince días en cada lugar. Puede ser que aún estén en el siguiente pueblo —dijo Tor.

Sin estar seguros de la ruta seguida por la caravana, los guerreros se desviaron rumbo al pueblo vecino. Estaban preocupados pues sabían que no había margen de error: la caravana seguiría el viaje y, si se equivocaban, ya no lograrían alcanzar a la chica. No obstante, decidieron correr el riesgo pues *más valía intentarlo que desistir.*

La noche los había alcanzado al llegar al pueblo y estaban exhaustos, aunque deseosos de cerciorarse de que allí estaba el circo. A cada persona que encontraron le preguntaron por el circo, pero no hubo quien les diera razón. Silus, una vez más, detuvo a un niño y Odaglas le preguntó si había visto el circo. El niño respondió que sí y comenzó a llorar. Intentaron calmarlo pues pensaron que lo habían asustado.

—No lloro por ustedes —dijo el niño—. Lloro porque ayer fue la última función y no me llevaron.

Al escucharlo, los guerreros sintieron emociones encontradas: les alegró saber que estaban en el camino correcto, pero les entristeció que el circo hubiera partido.

—No deben estar lejos; los circos suelen descansar un día a las afueras del pueblo. Puede ser que aún estén por aquí y partan mañana al amanecer —señaló Yerpa.

Aunque estaban muy cansados pues el camino había sido difícil, caminaron hasta llegar a la periferia del pueblo en la oscuridad, incluso tuvieron que encender unas antorchas. A poca distancia, los guerreros vieron las luces del campamento y eso los animó a seguir.

Antes de llegar al campamento se detuvieron pues querían idear un plan para conocer a alguna persona del circo. En eso estaban cuando escucharon pisadas sobre la hierba.

—No se asusten —dijo Tor—. Es un animal pequeño; tal vez pertenezca al circo.

Silus, a señas, le dijo a Odaglas: "No hagamos ruido; si se acerca, lo atrapamos y con ese pretexto abordamos a alguien del circo." Asustados porque no sabían de qué animal se trataba, esperaron.

Los pasos se escuchaban cada vez más cerca y luego se detenían. La incertidumbre crecía entre los guerreros cuando, de repente, de entre los arbustos salió un perrito blanco muy peludo. Se abalanzaron sobre él para atraparlo, pero era tan pequeño y escurridizo que, en la trifulca, Odaglas soltó el morral. De él salió Libro y se unió al revuelo. Después, sin saber cómo, el cachorro se escondió en el morral. Nadie lo notó.

Después, el asustado cachorro salió disparado y se internó en la maleza con el medallón enredado en una de sus patas. Todos corrieron tras él, pero era difícil encontrarlo debido a la oscuridad. Tor intentaba escuchar sus pisadas, pero era seguro que el cachorro estaba tan asustado que se había arrinconado en algún lugar.

79

Entonces escucharon los pasos de alguien más y luego algo parecido a un costalazo. El sonido les causó risa pues les hizo pensar que aquella persona, o lo que fuera, había caído.

—¿Quién anda ahí? —se dejó oír la voz de una mujer.

—Venimos en son de paz. No somos ladrones ni nada por el estilo. Buscábamos un lugar donde pasar la noche, pero un cachorro se acercó y se llevó algo que nos pertenece. Estamos tratando de encontrarlo —respondió Odaglas.

—¡Qué tranquilidad! Es mi perro, se llama Nicky. Apenas es un cachorro. Lo llamaré —dijo la mujer con alivio.

En cuanto gritó su nombre, el cachorro gimió.

—Vamos, está por aquí —señaló Tor y los guió hasta donde se encontraba el fugitivo. Se había enredado con unas ramas y el medallón aún colgaba de su pata.

Todos se acercaron con cuidado. En cuanto Odaglas lo vio, intentó tomar el medallón pero el perro quiso tirarle una mordida.

—Cuidado, está asustado y lo lastimarás. Tiene miedo porque no te conoce. Déjame hacerlo —dijo la joven al acercarse.

La oscuridad impedía adivinar el rostro o el cuerpo de la joven, quien vestía una larga capa. Ella se sentó en el pasto y, con gran agilidad y delicadeza, desenredó el medallón de la pata y al cachorro de las ramas. Los guerreros, extrañados y en completo silencio, observaban cómo la joven usaba sus pies; todos excepto Tor, quien al oído le preguntó a K-los qué sucedía.

K-los, en voz muy baja, le explicó que la chica no usaba las manos sino los pies para liberar al cachorro. Tor, que no entendía muy bien y no podía imaginarlo, preguntó:

—¿Por qué no usa las manos?

K-los levantó las cejas y se limitó a decir:

—No lo sé; una capa cubre su cuerpo y no veo sus manos.

Justo en ese instante, la joven liberó al cachorro y tomó el medallón.

—¿Es tuyo? —preguntó a Odaglas. El medallón destelló una luz rosada y ella, sorprendida y fascinada, exclamó—. ¡Qué bonito brilla!, ¿qué es?

—¿Luz rosada? —preguntaron todos con una mueca.

—¿Qué es lo que tiene luz rosada? —preguntó Tor.

—¡El medallón! —respondieron todos en coro.

Eran hombres y, como era de esperarse, el color no les agradó del todo y, de hecho, los desconcertó. La joven los miró y dijo:

—Entonces, esto es un medallón. Me parece muy bonito. Me extraña que no supieran que destella luz rosada si es suyo.

—Los demás medallones brillaron con luz blanca —explicaron los guerreros.

Tan distraídos estaban con el color de la luz del medallón que hasta después reaccionaron.

—¡Brilló el medallón! —dijeron al mismo tiempo.

—Con luz rosada, pero destelló —completó Yerpa.

La joven los interrumpió:

—No entiendo por qué tanto alboroto. La luz rosada me parece hermosa.

Entonces le entregó el medallón a Odaglas y el cachorro subió a su hombro. La joven se preparaba para marcharse.

—¡Espera!, ¿nos ayudarías a pasar esta noche en el circo? —le gritaron.

—No lo sé, no los conozco —respondió, dudosa.

—Hija, a mi edad ya no puedo caminar toda la noche —intervino Yerpa. Ella, conmovida, dijo:

—Tiene razón. Síganme.

En cuanto dio la media vuelta, Yerpa le guiñó un ojo a Odaglas y entonces sonrió pues sabía que había aprovechado su edad para provocar ternura en la joven.

—*En la vida siempre hay que aprovechar todos los recursos que, gracias a la experiencia y el tiempo, tienes a mano; claro, de forma positiva* —sentenció el viejo guerrero.

La joven los condujo hasta el campamento del circo y los invitó a pasar a su tienda, que era una de las más grandes. Por fuera se veía como cualquier otra, pero por dentro estaba decorada con colores rosa y blanco. En cuanto entraron, escucharon murmullos provenientes de afuera. No tenían mucho tiempo de haberse sentado a la mesa cuando se presentaron el dueño del circo y otros hombres más dentro de la tienda de Dryna.

—Vaya, tal parece que mi pequeña Dryna tiene visitas —dijo el hombre.

—En realidad acabo de conocerlos, necesitaban un lugar donde pasar la noche y, como rescataron a mi perro que había escapado, les ofrecí quedarse aquí por hoy —respondió la joven.

El dueño del circo, quien era un hombre mayor, muy alto y delgado, con unos bigotes muy grandes, salió de la carpa con sus acompañantes.

—Eso espero, mi querida Dryna, eso espero —dijo, a manera de despedida.

Los guerreros lo miraron partir. Sus modales y actitud les hicieron pensar que no sería fácil sacar a Dryna del cautiverio, pues a leguas se notaba que el hombre veía en ella sólo las ganancias que dejaba para el circo.

Afuera de la carpa, el dueño del circo ordenó a sus trabajadores:

—Vigilen bien, estén pendientes de cada movimiento. Ante cualquier novedad, por mínima que sea, suelten a los perros.

Uno de los hombres dudó y se hizo escuchar:

—Pero..., señor, ¿está seguro? ¡Los perros?

El dueño se agachó hasta que sus ojos quedaron frente a los del hombre que había hablado.

—Sí, los perros —respondió con firmeza y con la mirada llena de fuego.

Mientras tanto, una doncella le ayudaba a Dryna a quitarse la capucha en una sección privada de su carpa. Vestía un traje rosa pegado al cuerpo con algunas transparencias con brillos.

Los guerreros se habían levantado de la mesa a la salida del dueño del circo y la esperaban de pie en un sitio lleno de enormes y acogedores cojines rosas y blancos. La doncella, con una sonrisa tímida, les ofreció ponerse cómodos.

—¿Dónde? —preguntaron, con el ceño fruncido.

—En los cojines —respondió la doncella, sin perder la sonrisa.

—¡Pero son tan, tan rosas! —exclamaron en coro. Después, suspiraron profundo y dijeron—. ¡En fin!

La doncella se desvivía en atenciones con todos pero, en especial, con Tor y K-los.

—¿Qué hace aquí Dryna? —le preguntó Odaglas. La doncella, sorprendida, preguntó:

—¿Cómo es posible que no sepan quién es Dryna? —Sonrió de nuevo, se sentó con comodidad entre Tor y K-los y explicó—. Ella es una de las estrellas del circo y hace magia con sus pies. Aunque los dioses la mandaron sin brazos a este mundo, ella no se derrumbó; no, señor —luego añadió:

—Ella quiso salir adelante y aprendió a hacer magia con los pies. Llegó aquí cuando era una niña; de hecho, pocos tenían confianza en su número a causa de su edad. Sin embargo, muy pronto se ganó el cariño del público y de sus compañeros, y su número se volvió uno de los favoritos; ella...

En ese momento, Dryna salió del cuarto. Vestía una túnica blanca más sencilla. La doncella volvió a sonreír, ahora con complicidad, y les preguntó: —¿Quieren cenar algo?

Por supuesto, los asombrados guerreros respondieron que sí y caminaron hasta la mesa. Observaron que Dryna subía los pies para comer.

—¿Qué hacen por estos rumbos? —preguntó la joven.

—Buscamos a alguien muy especial —respondió Odaglas.

Dryna abrió muy grandes los ojos y, preocupada, preguntó:

—¿Han perdido a alguien?

—No precisamente. Buscamos a alguien porque necesitamos su ayuda —abundó Odaglas.

—¡Eso es diferente! —suspiró Dryna, aliviada.

La charla siguió de manera fluida. Hablaron sobre muchos temas, pero ni Odaglas ni Yerpa sabían cómo explicarle que a quien buscaban era a ella. Se sentían vigilados y, aunque ella parecía feliz en el circo, para ellos no era otra cosa que un cautiverio.

Al concluir la cena se retiraron a descansar. En su lecho, Odaglas no podía dormir pues pensaba cómo explicarle la situación a Dryna y, después, cómo la sacarían de ahí. En medio de la noche escuchó algo parecido a pisadas, pero sólo logró ver algo blanco, como si un velo hubiera pasado por la puerta. Entonces, se levantó y, cauteloso, siguió al velo, el cual salió de la tienda y caminó hasta un lago cercano al campamento.

La luz de la luna le permitió distinguir la figura de Dryna, quien estaba sentada a la orilla. Odaglas se sentó junto a ella.

—¿Insomnio? —le preguntó. Ella brincó pues se creía sola pero, al descubrir a Odaglas, sonrió.

—No, esto es normal para mí. Pocas veces logro dormir noches completas. Siempre tengo sueños, sueños tan reales que me confunden y me impiden distinguir el mundo real del onírico.

—¿Qué es lo que sueñas? —preguntó Odaglas, muy interesado. Ella suspiró.

—A veces me siento perdida en un lugar que parece ser un templo... —y empezó a describirlo.

Al escucharla, Odaglas supo que se refería al templo que habitaban los guardianes. Ella le contó que sentía mucha angustia al saberse perdida en ese lugar porque los pisos, de pronto, se transformaban en enormes espejos de agua tan resbaladizos que tenía la sensación de caer en cualquier momento y desnucarse pero, cuando estaba a punto de suceder, alguien a quien no podía verle el rostro pero sí algo parecido a un amuleto que colgaba de su pecho, la salvaba.

Dryna describió con todo detalle el "amuleto" y Odaglas supo que se refería a su medallón. Aunque sorprendido por las coincidencias, se sintió tranquilo: había encontrado la oportunidad perfecta para explicarle la situación.

—Yo sé dónde está ese lugar que ves en tus sueños porque de allí vengo. El "amuleto" que ves... —le mostró el medallón— es éste, y te pertenece. Entonces le explicó la misión que tenían y cómo Yerpa y él habían tenido que buscar a cada guerrero. Ella lo escuchaba sorprendida y, al ver que el medallón era justo como el de sus sueños, lloró con sentimientos encontrados.

—Yo nunca pensé que sería útil en otro lugar que no fuera éste. Aunque no tengo brazos, siempre soñé con hacer muchas cosas. Ya antes me habían ofrecido realizar mis sueños en otros lados; me prometieron mucho, pero sólo me rompieron el corazón. Éste es el único lugar en donde han cumplido cada cosa que me han ofrecido y no me siento capaz de dejar lo que hoy tengo. Lo que me ofreces es demasiado para mí pues no tengo experiencia como guerrera. ¿Qué tal si fallan por mi culpa? Es una responsabilidad muy grande... —se lamentaba la joven.

Aún no terminaba de hablar cuando levantaron la vista y vieron que una estrella fugaz caía hacia ellos. La estrella tomó la forma de Tino y, cuando él y Dryna se miraron, una emoción especial los envolvió.

—Nadie puede escapar y esconderse de mí. Mi nombre me lo otorgó el que un día me encontró para darme la misión de estar aquí y hablar contigo esta noche. Ese ser es conocido como Destino y me trajo hasta aquí para decirte, mi pequeña Dryna, tan frágil como fuerte, que *a veces pareciera que la vida nos engaña cuando las circunstancias, con sus falsas promesas, nos hacen creer que hemos encontrado el* camino. Entonces, nos descubrimos perdidos, desconcertados y adoloridos por lo sucedido; sin embargo, la vida sólo nos prepara para recibir lo mejor, lo que nos será dado —y continuó.

—Eso es tan grandioso, tan increíble, que supera tus sueños. Lo pasado te hace desconfiar de este momento, pero no es desconfianza lo que debes albergar en tu corazón. Gran parte de ti, de tu capacidad y de todo lo vivido fue tu preparación para este momento. La experiencia siempre camina con la vivencia. No quieras tener experiencia sobre algo que no has vivido. No temas. Éste es el camino a seguir —dijo el viejo Tino y, al terminar, se desvaneció en la oscuridad de la noche, no sin antes acariciar el rostro de Dryna.

Odaglas le entregó el medallón a la joven y éste destelló su luz rosada de nuevo.

—¿Cómo que rosa? —exclamó el muchacho, con el ceño fruncido, y ambos rieron.

Después partieron a la carpa para idear un plan para sacar a Dryna del circo. Ella sabía que no sería fácil, que el dueño no le permitiría despedirse y salir de allí con tranquilidad; por tanto, la única opción era escapar.

Tras reflexionar un rato, K-los sugirió:

—¿Por qué no te vistes con nuestra ropa? Así te confundirás entre nosotros y no se darán cuenta de que eres tú.

Silus afirmó con la cabeza y dijo a señas: "Para que sea más seguro, partiremos antes de que salga el sol." Todos estuvieron de acuerdo.

Dryna preparó algunas cosas para llevárselas. Sabía que debía elegir lo más importante e ir ligera, pues el viaje sería largo. Fue entonces cuando descubrió que no podría llevarse consigo a su cachorro y decidió que corría más peligro si la acompañaba que si lo dejaba con la doncella que tantos años le había servido, así que lo estrechó con amor y se despidió de él. Se sentía muy triste, pero también agradecida por el tiempo durante el cual el cachorro le había hecho compañía.

Listos, los guerreros salieron de la carpa y emprendieron el viaje rumbo al castillo para informar a los magos que, por fin, todos los guerreros estaban reunidos. Uno a uno, en silencio, salieron de la carpa de Dryna. Los trabajadores que quedaron encargados de la vigilancia observaron que los guerreros partieran sin novedad.

Nerviosa, Dryna caminaba oculta entre ellos. Aunque portaba una capucha, un mechón de su cabellera se asomó al tiempo que, sin quererlo, suspiró y uno de los vigilantes la descubrió.

—¡Suelten a los perros! —gritó el hombre.

De entre la oscuridad salió un desenfrenado grupo de perros de tamaño impresionante. Tenían enormes colmillos y, aunque sólo eran tres, parecían seis perros pues cada uno poseía dos cabezas. Los guerreros corrieron y corrieron. Estaban a punto de ser atrapados cuando recordaron que en el camino de ida habían atravesado unos enormes zarzales. La alternativa era peligrosa ya que, debido a la oscuridad de la noche, ellos mismos podían quedar ensartados. Dudaban si seguir por ese camino cuando Tor dijo:

—Yo puedo guiarlos.

Los demás guerreros confiaron en él y, para su asombro, Tor los condujo a los zarzales y les ayudó a librar las espinas. Así lograron escabullirse y escapar de los perros. Agitados, decidieron parar, tranquilizarse y cerciorarse de estar todos presentes y en especial K-los, pues pensaron que no podría correr tan rápido como ellos.

—No se preocupen por mí —los tranquilizó K-los—. Durante mucho tiempo he aprendido a diseñar piernas para cada ocasión. Sabía que hoy podría necesitar mi pierna para correr.

Ya más tranquilos y felices abrazaron a Tor, quien los había ayudado a salir bien librados de aquel problema. Ahora debían continuar su camino hacia el castillo para recibir instrucciones de los guardianes.

Después de mucho caminar se sintieron cansados y Dryna un poco más que el resto pues no estaba acostumbrada a andar largas distancias. Ya estaba a punto de pedirles que pararan cuando Yerpa, en consideración a ella, dijo:

—Será mejor acampar aquí esta noche. La oscuridad hará más lento el camino y estamos a un día más de distancia del castillo. Dormiremos y partiremos mañana muy temprano; así rendiremos más.

Todos estuvieron de acuerdo, encendieron una fogata y, colocados alrededor de ella, se prepararon para descansar. Los guerreros, muy amables, intentaron ayudar a Dryna. Era la mujer del grupo y sabían que la noche sería difícil para ella pues no solía dormir a la intemperie.

Con un guiño de complicidad, Odaglas pidió a sus compañeros que le permitieran hacer todo el trabajo. Cuando Dryna se dio cuenta del gesto de amabilidad de Odaglas, se sintió nerviosa pues el joven no le era indiferente. Se sentó para acomodarse en el lugar que Odaglas le había preparado y le dijo que temía a los insectos. Entonces, el guerrero se aseguró de ponerla a salvo de ellos.

Cuando Dryna se quitó los zapatos, descubrió que el dolor en los pies no era sólo producto de la larga caminata, sino que estaban llenos de ampollas. Se sintió lastimada, cansada, asustada y triste pues, aunque todos eran muy amables con ella, casi no los conocía y se sentía muy sola.

Dryna se acurrucó entre unas cobijas que llevó consigo y, sin darse cuenta, las lágrimas brotaron de sus ojos. La joven lloró y lloró hasta quedarse dormida. Sin embargo, esa noche no fue diferente a las otras en cuanto a los sueños que siempre la inquietaban, así que despertó, se levantó y caminó.

Odaglas la siguió con la mirada. Ella se alejaba cada vez más y más, por lo cual se levantó y, en silencio para no asustarla, fue tras ella. Dryna caminaba muy rápido y le llevaba ventaja a Odaglas, quien se apresuró porque sabía que el sitio era peligroso.

—¡Espera! ¿Adónde vas, Dryna? —le gritó.

En cuanto Dryna lo escuchó, corrió y corrió sin voltear hacia atrás. Odaglas la siguió y metros más adelante logró alcanzarla.

—¿Qué sucede? —le preguntó, desconcertado. Dryna, desesperada, lloraba mientras decía:

—No podré; todo esto me parece muy difícil. Es demasiado para mí.

Odaglas le pidió que se calmara y que se sentara junto a él.

—*La vida se conforma de etapas. El inicio de cada una suele parecernos difícil porque nos enfrentamos a cosas nuevas: cambiamos de amigos, de hogar, de rutina o de oficio* —le dijo—. *Los cambios generan incertidumbre; el hecho de no saber qué ocurrirá te atemoriza y ese miedo no te permite ver todo lo que puedes aprender, lo que puedes ayudar. No te dejes guiar por el miedo. El miedo paraliza.* —hizo una pausa y añadió:

—*Sigue a tu corazón y piensa que puedes aprender, ex-perimentar, disfrutar. En tu otra vida también viviste momentos difíciles pero aprendiste a superarlos o resolverlos. No lo hacías por rutina, sino por capacidad, por destreza.* Tu camino, el lugar donde vivías y las personas con quienes convivías han cambiado, pero *tu capacidad* y *tu destreza son las mismas, y cada día serán mejores si confías en ti. No estás sola: te acompañan tus creencias, tu fe y yo...* bueno, nosotros. Todos perseguimos el mismo sueño y, si necesitas algo, cuentas con nuestro apoyo.

Cuando Dryna escuchó las bellas palabras de Odaglas se sintió más tranquila y segura; entonces, asintió con la cabeza.

—Tienes razón, voy a intentarlo. Muchas gracias por tus palabras. Ya me siento mejor.

Estaba a punto de acurrucarse entre sus brazos cuando escucharon un ruido extraño; parecía que alguien se acercaba. De inmediato, los jóvenes se pusieron alertas y Odaglas se incorporó frente a Dryna para protegerla de aquello que se aproximaba entre la noche y la maleza.

Los pasos estaban cada vez más cerca y la joven se asustó tanto que cerró los ojos. Entonces, la maleza se abrió y de ella salió Nicky, el cachorro de Dryna. Odaglas sonrió y volteó a mirar a Dryna para grabarse la expresión de su rostro tras el encuentro. Cuando la vio con los ojos cerrados, sonrió.

—Mira quién llegó —le dijo.

Ella abrió un ojo, descubrió a Nicky y corrió hacia él. Estaba feliz y sorprendida al ver que su cachorro les había seguido los pasos.

—Creo que un ser tan valiente, leal y fuerte puede ir con nosotros —observó Odaglas—. Viajará con Libro.

Ella lo miró con extrañeza.

—¿Libro?

—Sí —respondió Odaglas—. Es mi gato, viaja en mi morral, duerme mucho y es muy tranquilo. Con tantas cosas que han sucedido, no te lo he presentado. Los tres volvieron hasta el campamento pues necesitaban descansar. Mientras Dryna se recostaba junto a Nicky pensó: *"No cabe duda de que la vida nos da incentivos a cada paso y nos motiva a seguir adelante.* Los buenos consejos de Odaglas y hasta la llegada de Nicky fueron grandes motivos de alegría para mí, y dos razones para ser valiente y asumir la gran misión que está por venir."

Los guerreros se levantaron muy temprano y emprendieron el camino hacia el castillo. Aprovecharon bien el tiempo y, después de seguir diversos atajos, llegaron antes de lo previsto. Los guardianes, felices y emocionados, salieron a recibirlos. Por fin estaban todos juntos.

Segunda parte

La misión

8. Aventureros de las aguas

Odaglas presentó a K-los y a Dryna, los dos guerreros que los guardianes aún no conocían. Juntos recorrieron el castillo tan parecido a un templo y Dryna no cabía en su asombro: en efecto, ese lugar era igual al de sus sueños. Los magos interrumpieron sus pensamientos al decir:

—Debemos buscar al Hada de la luz para avisarle que ya están reunidos. Guerreros y magos salieron a un extraordinario jardín rodeado por hermosas flores y árboles de altura casi inalcanzable. Entonces, un grupo de luciérnagas se reunió en lo alto y llegaban más desde distintos puntos. Cuando estuvieron todas juntas apareció el Hada de la luz, quien los miró complacida y feliz.

—Por fin están aquí. Ustedes son tal y como los imaginé: extraordinarios, valientes y complementarios. Eso facilitará su búsqueda. Con la ayuda de este mapa deben emprender el viaje hasta la montaña Secreto: Mukul, ta'ak tsikbal. Consideren que, para llegar hasta allí, deberán cruzar el bosque Libertad: Jáalk'ab, cha; allí se enfrentarán con sus más profundos temores —luego añadió:

—No existen armas más poderosas para enfrentar lo que sigue que lo que ya poseen. Tal vez aún no descubren sus armas pero, sin duda, lo harán y lograrán darles buen uso.

Nunca estarán solos. Siempre que los necesiten, los guardianes estarán allí. No pierdan la confianza ni la fe entre ustedes. Entregaré el mapa a Odaglas.

Al tiempo que el joven tomó el mapa, el Hada de la luz se desvaneció.

Los guerreros se alistaron para partir, pues no tenían tiempo que perder, y se despidieron de los magos. Sabían que, en los momentos difíciles, ellos estarían ahí para acompañarlos. Después iniciaron la marcha hasta que se internaron en un bosque que, sin duda, no se parecía a ningún otro.

La maleza era muy espesa; por momentos bajaba la neblina y parecía no existir más vida que la vegetal. Las copas de los árboles eran tan altas y espesas que casi no permitían que se filtrara la luz del sol o de la luna. Aunque hacía frío, era tolerable y eso les permitía seguir adelante.

Los guerreros caminaban pensativos y silenciosos; en el fondo, cada uno sabía a lo que debía enfrentarse. Quizás entonces las cosas serían distintas. Ya no eran los mismos que antes de ser elegidos: la misión había fortalecido la confianza de cada uno, y lo que antes creían su debilidad, ahora se había transformado en su fortaleza. Sumidos en estos pensamientos, continuaron hasta que la noche los encontró.

En medio de la oscuridad y de un silencio opresivo, los guerreros encendieron una fogata y conversaron sobre sus miedos

—Quizá por mi soledad, por mis malos entendidos y de quienes creían que tenía el corazón de madera, viví entre las sombras y sin oportunidad de experimentar y conocer muchas cosas —reconoció K-los, y continuó—. Hoy creo que *no puedes sentir miedo ante lo que no conoces*, así que podría decir que no soy temeroso; sin embargo, hay algo que, a pesar de mi edad, aún no he superado.

Sus palabras llenaron de curiosidad al resto de los guerreros, quienes lo escuchaban con atención. Querían descubrir el primer miedo al cual se enfrentarían.

—Siempre he temido a las tormentas —confesó K-los.

—¿Las tormentas? ¿Cómo puede ser, si ya tienes 16 años? —preguntaron los guerreros.

Estaban a punto de reír cuando se escuchó un pedido de silencio entre las ramas. Era River:

—*Necesitamos aprender a no reírnos y respetar los miedos de los demás. Si nos parece que no tienen importancia es porque ya los hemos superado o jamás los hemos sentido, por tanto nos corresponde ayudar a los demás a enfrentarlos. Cuando nos burlamos de los temores de una persona, la orillamos a ocultarlos, y, al hacerlo para los demás, lo hace también para sí misma. Es imposible cambiar algo de lo que no se es consciente y es necesario verlo con claridad para enfrentarlo* —y añadió:

—*Si no podemos hacerlo solos, deberemos pedir ayuda.* Has sido muy valiente en ser el primero en expresar tus miedos, mi querido K-los. A nadie le gusta hablar de ellos. Prepárense para lo que pueda venir.

Tras concluir su discurso, River se desvaneció.

Los guerreros se sintieron algo apenados por su actitud hacia K-los y comprendieron que River tenía razón, así que lo abrazaron en señal de apoyo. K-los se sintió muy bien pues *el apoyo de quienes nos rodean nos proporciona fuerzas para enfrentar los retos que debemos superar.*

Mientras Odaglas le mostraba a Dryna el mapa y el camino a seguir, alimentó a Libro y a Nicky. Los demás platicaron entre sí hasta quedar dormidos. Cuando Odaglas descubrió que sus compañeros estaban en el mundo onírico, completamente sumidos en sus sueños, le comentó a Dryna:

—El tiempo voló; será mejor descansar pues nos falta mucho camino por recorrer.

Dryna asintió y abrazó a Nicky hasta que concilió el sueño.

El sol casi despuntaba cuando los guerreros se levantaron y muy pronto estuvieron listos para reanudar el viaje. Caminaron durante algunas horas hasta que, de repente, el cielo se llenó de nubes que no dejaban pasar la luz del sol. Se hizo la oscuridad y de inmediato el cielo y el espacio se inundaron de truenos y relámpagos.

Todos estaban pendientes de K-los para tranquilizarlo llegado el momento pero, cuando las primeras gotas empezaron a caer, comprendieron que no se trataba de una tormenta común: las gotas eran muy grandes y su tamaño era desproporcionado.

Los guerreros corrieron en busca de refugio. Sabían que bajo los árboles no lograrían sobrevivir, pero Odaglas recordó haber visto en el mapa una cueva cercana, así que sacó el mapa y guió a sus compañeros hasta allí. Corrieron por un sendero e intentaron cubrirse de las gotas pero, de pronto, el paisaje se abrió y vieron que una corriente de agua se precipitaba con rapidez hacia ellos.

La lógica les decía que no había escapatoria y que el agua los arrastraría. En los alrededores no había un lugar alto donde ponerse a salvo y, aunque el agua los alcanzó, sólo los arrastró unos cuantos metros.

Fue entonces que vieron venir unas hojas enormes del tamaño de una balsa que eran conducidas por seres extraordinarios, una especie mitad hombre mitad hormiga.

Como si fueran deportistas extremos, las hormigas-hombres parecían disfrutar de las circunstancias. Al ver a los guerreros, los seres les gritaron:

—¡Suban, suban!

Así rescataron a cada uno. K-los estaba muy asustado por la situación, pero ellos, conocidos como Kiib, Wíinik, Máak y Síinik, dijeron:

—¡Ánimo!, ¿qué puede pasar? Si te caes, siempre puedes volver a la balsa. *Estamos preparados, somos expertos y tenemos las herramientas adecuadas. Sólo necesitas practicar y, ¡estás de suerte!: hoy es tu primera clase práctica.* Fue así como K-los, con sus compañeros, descubrió que la tormenta le proporcionaba una oportunidad maravillosa de divertirse. La actitud de sus nuevos amigos tan preparados, tan decididos pero, sobre todo, tan felices, le ayudó a comprender *que las herramientas esenciales para enfrentar cualquier miedo, grande o pequeño, son la preparación, la decisión y disfrutar el viaje.*

Al principio no fue fácil, pues los guerreros se sentían inseguros y temerosos, pero conforme siguieron la corriente y sortearon las inmensas gotas y lo que salía al paso, comenzaron a disfrutar de la aventura.

Tras navegar por la corriente, dirigieron las balsas hasta el hogar de sus amigos. Estaban exhaustos por la emoción pero muy contentos por el encuentro. Los seres les ofrecieron ropa seca, alimento y un lugar donde pasar la noche.

Odaglas volvió a consultar el mapa. Ya no tenía idea de dónde estaban, así que pidió ayuda a Kiib, Wíinik, Máak y Síinik. Ellos le explicaron que habían avanzado un gran trecho y que, por fortuna, habían aprendido una gran lección que llevarían por siempre en la mente y en el corazón.

9. Las fuerzas del mal

Mientras tanto, en Villa Eclipse las cosas no andaban nada bien. Los daños en los sembradíos, el cambio de carácter en los niños y de actitud en los aldeanos era tan grave que quienes aún no resultaban afectados estaba muy preocupados.

Los magos lo sabían, así que acordaron reunir a los habitantes en la plazuela y explicarles lo que sucedía. Cuando supieron que las fuerzas del mal habían aniquilado a sus guerreros y que la villa corría peligro, y tras conocer la identidad de los nuevos guerreros, las reacciones no se hicieron esperar.

Aunque muchos estaban desconcertados y otros sorprendidos, unos pocos se sintieron felices pues sabían lo valerosos que eran los nuevos guerreros. Aún así, el sentimiento dominante era la inconformidad ya que desconfiaban de ellos: no se explicaban cómo unos jovencitos, casi niños, con cuerpos limitados, podrían defenderlos de unos enemigos tan poderosos.

A los magos les preocupó la actitud de los aldeanos. De inmediato y con voz firme, Roma les habló:

—Ellos son los elegidos y no fue así por obra de la casualidad. Tal parece que las fuerzas malignas se han fortalecido tanto en estos días que ningún arma, por muy poderosa que sea, podrá exterminarlas. Necesitamos algo más poderoso para combatir aquello que amenaza nuestra armonía, paz, sueños y familias, *el amor por todo esto es lo que necesitamos. Un amor firme, inquebrantable, sin dudas, constante, que fortalezca los valores que tenemos* —y prosiguió:

Estos jóvenes, casi niños, han sido elegidos porque, para ellos, cumplir la misión implica un mayor esfuerzo. *Lo que implica mayor esfuerzo nos da mayor sabiduría, misma que debemos difundir a lo largo y ancho del planeta.*

"Los chicos no están solos: viajan con Yerpa a quien, en su momento, le fue difícil aceptar el reto pues creía que estaba a punto de retirarse. Enfrentar la pérdida de sus amigos e iniciar el reto no fue nada fácil para él, pero estoy seguro de que aprenderá que *la vida no termina hasta que exhalamos el último aliento; que su experiencia, los principios y los valores que pueda transmitirles a nuestros jóvenes son fundamentales.* Él tiene que comprender que *no reinició su vida puesto que ésta aún no había terminado.*"

"¿Por qué han sido elegidos quienes tienen cuerpos limitados? Porque, *para aprender y compartir un aprendizaje, no hay límites.* Ellos debían entenderlo primero para transmitirlo al resto de ustedes. Los hechos confirman y respaldan las palabras; ellos han sido elegidos porque tendrán que pasar tragos amargos para enseñarnos que, *para amar, intentar, esforzarnos y ayudar a aprender a los demás, no existen límites.*"

"*El cuerpo es pasajero; lo que en verdad importa es la actitud que conduce a ese cuerpo.* Por todo lo anterior, lo que nos corresponde hacer hoy es motivarlos, desearles lo mejor desde aquí, entregarles nuestra confianza y desear que regresen con la mayor de las sabidurías para que, *al compartirla con nosotros, también nos volvamos más fuertes y sabios: los límites están donde queremos verlos.*"

Después de tan emotivo y convincente discurso, los aldeanos reflexionaron. El silencio reinaba. Los que no se convencieron recordaron que *todos merecemos una oportunidad* y, si no podían otorgarles toda su confianza de primera instancia, al menos eso sí podían concederles. Así, los aldeanos se enteraron del peligro real que corría Villa Eclipse y preguntaron a los guardianes cómo podían ayudar cada uno desde su lugar.

Los magos respondieron que lo principal era *modificar su actitud* y que, *siempre que tuvieran la oportunidad de decidir, optaran por una actitud positiva.* Eso fortalecería a la aldea, a los guerreros y a sí mismos.

Al mismo tiempo, en las profundidades del bosque, las fuerzas del mal acechaban a los guerreros, conspiraban y aguardaban el momento de confrontarlos. Aunque les habían perdido el rastro, eran pacientes y estarían pendientes del reencuentro. Sabían que la oportunidad de atraparlos estaba en sus flaquezas; por ello, decidieron crear un grupo de hadas malévolas cuya misión era confundirlos y contraponerlos.

La noche transcurrió casi serena y, aunque los guerreros sabían que esos momentos eran el ojo del huracán, platicaban y convivían entre sí. Su entorno era armónico y estaba lleno de confianza y de compañerismo. Tenían sensaciones extrañas, como si ya hubieran estado reunidos en otros tiempos. Sus lazos de amistad se fortalecían a cada momento y eso los alentaba.

Uno a uno se quedaron dormidos hasta que llegó el amanecer. Tor fue el primero en despertar.

—Amigos, ¿escuchan esos cantos? —les dijo.

Aunque los demás guerreros no escuchaban nada, sabían que Tor tenía el oído mucho más agudo que ellos, así que prepararon sus cosas, se despidieron con afecto de sus amigos Kiib, Wíinik, Máak y de la bella Síinik y se introdujeron más en el bosque Libertad: Jáalk'ab, cha'.

Perdieron la cuenta de las horas andadas pero sabían que ya había pasado mucho tiempo. Una vez más, Tor se refirió a los cantos y dijo que eran tan hermosos que le inspiraban confianza.

—Escucha, ¿no son hermosos? —le preguntó a Odaglas, pero ni él ni los demás los percibían. Entonces, Tor interrumpió la marcha.

—Quizá deberíamos seguir los cantos —propuso, pero Yerpa y el resto del grupo no creyeron que fuera buena idea abandonar el camino. Tor insistió y dijo que las voces le indicaban que, si seguían determinada vereda, llegarían más pronto. Lo que él no sabía era que las hadas malévolas ya habían comenzado a actuar.

Los guerreros, tentados por la oferta de Tor, se detuvieron y discutieron la mejor opción. Necesitaban ganar tiempo y además querían escuchar los cantos tan fascinantes que Tor describía.

—Por mi experiencia, sé que *cuando tenemos una misión tan difícil en la cual apremia el tiempo, quisiéramos encontrar la manera de llegar más rápido* —advirtió Yerpa—, pero en este bosque las veredas no son tan seguras como los caminos marcados en el mapa.

Silus intervino y, a señas, dijo: "El recorrido que hicimos a bordo de las hojas no estaba en el mapa y adelantamos un gran tramo. Tal vez estemos de suerte. Tor puede guiarnos."

Entonces, el grupo se dividió: mientras Dryna y K-los apoyaban a Silus y a Tor, Yerpa no quería cambiar de rumbo y Odaglas estaba indeciso. Su reflexión se cortó de golpe cuando Tor exclamó emocionado:

—¡Allí están los cantos de nuevo! Vamos por acá, ¡síganme!

Odaglas se unió al entusiasmo general y, aunque Yerpa no estaba muy convencido, la momentánea emoción lo convenció de seguirlos. Corrieron un buen tramo junto a Tor y pasaron por caminos muy extraños donde la vegetación y el clima variaban en cortas distancias, al grado de que comenzó a resultarles difícil ubicarse porque de un segundo a otro cambiaban del calor al frío.

La tierra llena de árboles verdes y frondosos se volvía nieve con árboles casi secos y otros congelados. Esto los fascinaba y así, entre jugueteos y bromas, continuaron su travesía. La nieve se transformó en arena, los árboles desaparecieron del paisaje y, aunque pudiera pensarse que sentirían calor, el clima era muy, muy frío, incluso bajo el resplandor del sol.

Los extraños ambientes y climas los desconcertaron y entonces sintieron temor. No obstante, continuaron. La arena se transformó en pasto y los árboles aparecieron de nuevo.

Tor se detuvo y dijo:

—Los cantos se escuchan por acá..., no, no, por allá... no; esperen, tal vez por acá... No sé qué me sucede. Me siento desorientado. Escucho las voces en un lugar pero, en segundos, parecen provenir de otro sitio...

Preocupados, los guerreros le pidieron a Tor que se calmara.

—Quizá se deba a que aquí hay un eco o algo que interfiere y te confundes —sugirió Dryna.

Odaglas sacó el mapa y trató de ubicarse sin suerte, pues no podía identificar dónde se encontraban. Retomaron el camino pero Tor no lograba orientarse. Las voces de las hadas malévolas provenían de todas direcciones. El guerrero ciego sintió miedo y desesperación pues, por primera vez en su vida, el sentido del oído y de la ubicación le fallaban. Corría para un lado, corría para otro y no se recuperaba.

A los guerreros no les preocupaba tanto el hecho de estar perdidos sino el estado de confusión de Tor. Ellos en ningún momento habían escuchado los cantos. Entonces, Dryna se acercó a Tor y le pidió que se tranquilizara, tal vez la confusión en la cual se encontraba le impedía escuchar con claridad.

Odaglas, por su parte, revisaba el mapa con Yerpa y Silus. No pasó mucho tiempo antes de que Tor se incorporara de un salto.

—¡Allí están los cantos! —exclamó y corrió con seguridad.

Los guerreros lo seguían y le pedían que se calmara, que no fuera tan rápido pues no sabían en dónde se encontraban. Tor, sin prestarles atención, llegó hasta el borde de un enorme precipicio y, como no podía ver lo que tenía enfrente, comenzó a caminar sobre un enorme tronco que servía de puente.

Tras él iban los guerreros. La madera del tronco comenzó a crujir y se partió por la mitad. Estaban todos a punto de caer cuando, de manera sorprendente e increíble, K-los estiró la mano, tomó el extremo de una enorme enramada que alcanzaba a llegar hasta el otro lado y sujetó a sus amigos con la otra mano. Nicky y Libro se salieron del morral de Odaglas pero se aferraron a las barbas de Yerpa.

Todos pendían del brazo de K-los, quien poco a poco logró cruzar el precipicio y jaló a cada uno hasta ponerlos a salvo.

Una vez del otro lado, exhaustos y sorprendidos por la increíble hazaña de K-los, decidieron acampar. La noche los había alcanzado y ya no era buen momento para continuar. Ante la fogata comentaban la asombrosa fuerza que K-los había desarrollado y entonces su medallón comenzó a destellar. De una chispa de luz apareció River, quien los saludó.

—La fuerza de K-los no es obra de la casualidad y tampoco es magia del bosque. No es otra cosa que *la fuerza de su corazón y del gran amor que siente por ustedes*. Cuando hizo frente a sus miedos y los superó, apoyado por Kiib, Wíinik, Máak y Síinik, redescubrió su fuerza y activó el poder del medallón. Sin darse cuenta desarrolló esta habilidad y lo mismo le ocurrirá a cada uno de ustedes. *Cuando enfrenten sus miedos desarrollarán fortalezas y habilidades, regalos de la experiencia que se ganan sólo de ese modo. La fuerza aparece cuando enfrentamos con valentía los momentos complejos de nuestra vida* —y añadió—. No dudo que a K-los le preocupara el hecho de ver que sus vidas peligraban y su reacción fue poner todos sus recursos a trabajar, lo cual resultó en esta increíble hazaña. Ahora, hijo mío, ya sabes que este don que te fue otorgado no será el único; *en la medida en que enfrentes tus miedos, serás cada día más y más fuerte. Utiliza tus dones con sabiduría y lealtad.*

K-los se sentía muy feliz y sonrió al abrazar al mago. También miraba a sus amigos con gratitud y amor, pues reconocía que ellos habían sido parte importante de ese logro.

El mago River estaba a punto de desvanecerse cuando los guerreros intentaron detenerlo para pedirle ayuda ya que estaban perdidos. Sin embargo, su esfuerzo fue en vano: River se desvaneció en la oscuridad del bosque.

Odaglas revisó de nuevo el mapa pero no logró identificar la ruta correcta.

—Es mi culpa; estamos perdidos por mi culpa. ¿Qué vamos a hacer? —dijo Tor, muy triste.

La desesperación y el miedo comenzaron a invadir a los guerreros. De pronto, el cielo se cerró y las nubes cubrieron la luz de la luna. Un viento violento comenzó a soplar con tal fuerza que fue imposible mantener prendida la fogata, con lo cual los guerreros se quedaron inmersos en una profunda oscuridad. Estaban perdidos, sumidos en la oscuridad del bosque y sólo sus voces se escuchaban. Tal parecía que la oscuridad había ahuyentado a todas las criaturas que habitaban el lugar.

—Durmamos y esperemos el amanecer. *Verán que la luz del nuevo día nos iluminará las ideas. A veces es mejor tomarse un tiempo, sobre todo cuando se está perdido en la oscuridad. Es difícil porque el momento puede ser desesperante y nuestro deseo es abandonar pronto la oscuridad para encontrar el camino correcto, pero la desesperación sólo nos hunde más en la oscuridad. Es mejor tener paciencia y esperar la paz de la luz. Con ella vendrá la conciencia y la claridad de las ideas* —aconsejó Yerpa. Los demás, al escucharlo, decidieron dormir.

10. La Leyenda de un fracaso

Todo parecía verse mejor en cuanto brillaron los primeros rayos del sol. Tor comentó que escuchaba a un ave que parecía estar en problemas pero los demás guerreros, con cierto recelo, le preguntaron si estaba seguro pues ellos sólo escuchaban el silencio.

Preocupado por el pequeño ser, Tor no se detuvo a dar explicaciones y avanzó. Todos lo siguieron. Entre los arbustos, el guerrero ciego escuchó una especie de gemido y Odaglas abrió las ramas hasta encontrar un ave muy pequeña y azul que parecía estar herida. Dryna se sentó en el suelo para ver a la pequeña ave que, de inmediato, se alebrestó y se puso a la defensiva.

—¿Quiénes son ustedes? ¿Qué quieren?, ¿qué buscan? —les preguntó—. ¡Les advierto que no soy tan indefensa como parezco!

Odaglas, Dryna, Silus, Yerpa, K-los, Libro y Nicky la miraron con cara de asombro. Era muy pequeña, estaba lastimada, incluso algo trastornada.

—Cálmate, cálmate; nosotros sólo intentamos ayudarte —le dijo Dryna con ternura—. Tor escuchó que estabas en problemas y nos guió hasta ti.

El ave, tras escuchar a la guerrera, bajó la guardia.

—No es posible que me hayan escuchado —les dijo, asombrada—. Descansaba un momento antes de partir a reunirme con la parvada y creo que soñaba.

Tor le repitió palabra por palabra lo que había escuchado.

—¿Cómo logras hacer eso?, ¡ése era mi sueño! —exclamó el ave, muy sorprendida.

Tor le explicó su habilidad para escuchar sonidos a muchísima distancia, pero aquello en verdad era increíble. Entonces, Yerpa le dijo:

—Tal vez es el regalo de los guardianes. Dale buen uso.

Todos estaban emocionados porque Tor podía escuchar los sueños de los demás. En medio de la alegría recordaron que la pequeña ave estaba por reunirse con sus amigos.

—¿Conoces este bosque? —le preguntaron Dryna y Odaglas.

—¡Claro! —respondió ella—. Sé dónde está encallado un barco abandonado; en su interior podemos conseguir una brújula que los guíe.

A Odaglas le pareció genial la idea y la comentó con los demás guerreros. Pronto emprendieron el viaje en busca del barco y, mientras caminaban, el ave volaba para observar la ruta y luego se posaba en el hombro de Tor. Ella les decía por dónde ir e hizo amistad con el grupo. Les platicó que pertenecía a una especie llamada "reinita azul" y que se llamaba Kalan.

La travesía duró dos días. El cambio de brisa les indicó que estaban cerca del mar. Aquel era un lugar hermoso: una playa con aguas cristalinas y azules. Kalan levantó el vuelo y los guerreros la perdieron de vista hasta verla regresar en el aire.

—¡Ya estamos cerca, sigamos adelante! —les gritó, alborozada.

Kalan repitió la maniobra varias veces hasta que, por fin, llegaron al barco encallado. La marea estaba tan baja que sólo se mojaron hasta las rodillas para alcanzar el barco, se subieron uno a uno y lo inspeccionaron todo. Era increíble estar ahí pues, aunque era obvio el desgaste del lugar, no había perdido su belleza y los salones, los restaurantes y los camarotes estaban casi intactos.

Sin embargo, en el cuarto de mando descubrieron que la brújula estaba rota. Los guerreros sintieron gran decepción pues, después de todo, la brújula era su esperanza para encontrar el camino.

—En una embarcación hay más de una brújula —comentó Yerpa—. En el camarote del capitán o de los marineros debe haber más; busquemos.

La noche los tomó por sorpresa. La marea subió y les resultó imposible regresar a la playa, por lo cual decidieron pasar la noche en el barco. Allí reunidos comentaron lo maravilloso del lugar, aunque era extraño ver cómo muchas cosas aún estaban en su sitio. Entonces se preguntaron sobre el paradero de los tripulantes y pasajeros.

—Conozco parte de esa historia —dijo Kalan, algo intranquila—. El capitán de este barco quiso llegar a su destino en menos tiempo del que había previsto para el viaje. Sin embargo, una tormenta lo sorprendió, naufragó y desapareció con todos los pasajeros. Cuenta la leyenda que, desde entonces, revive la historia todas las noches de luna llena con el propósito de remediar su error. Sólo así podrá descansar su alma —continuó la avecilla—. Se siente culpable por lo que sucedió; sin embargo, es imposible remediarlo pues ya está muerto y *no hay manera de regresar el tiempo.*

Los guerreros, preocupados y asustados, sintieron pena por el capitán.

—Creo que podemos ayudarlo —dijo Tor.

—¿Cómo? —preguntaron los demás.

—Estamos aquí en busca de la brújula porque yo los orienté mal, quise irme por el camino fácil y me dejé guiar por el error —explicó Tor—. La verdad es que quise sorprenderlos para que se sintieran orgullosos de mí pero no me di cuenta de que *mi ego fue mayor que la prudencia.* Por eso nos perdimos y tal vez esto mismo le sucedió al capitán —después agregó—. *A veces tomamos ciertas decisiones porque pensamos que será lo mejor para ahorrarnos tiempo y esfuerzo, pero no siempre es así.* Al conocer la historia del capitán sé que no soy el único que ha cometido ese error. Esto confirma que *un atajo no siempre acorta las distancias; por el contrario, a veces las alarga y las hace infinitas* como le sucedió al capitán, quien nunca llegó a su destino. Hoy sé que, *para tomar una decisión, lo más fácil no siempre es la mejor opción,* y pude aprender la lección gracias al capitán. Tal vez, si logramos transmitirle lo que aprendí, su experiencia no será sólo un fracaso, sino *un fracaso que nos ayudó.*

Las palabras de Tor fueron interrumpidas por una corriente de aire muy frío que azotó las puertas y ventanas del salón donde se encontraban. Las olas eran cada vez más fuertes y el barco encallado comenzó a moverse. Los guerreros no tardaron mucho tiempo en descubrir que serían testigos de la leyenda y de que revivirían, con el capitán, lo sucedido.

Con el aire, entraron también quienes fueron los tripulantes y pasajeros del barco. Todo era tan hermoso como escalofriante, aunque los guerreros sabían que lo que veían no era real. Libro y Nicky se escondieron en el morral de Odaglas mientras el resto observaba los acontecimientos.

De inmediato, Kalan les habló con voz firme pues todos parecían hipnotizados:

—Chicos, vamos, busquemos al capitán para averiguar qué ocurrió.

Los tripulantes y pasajeros del barco se movían sin notar la presencia de los intrusos. Cuando éstos llegaron a un corredor se toparon con el capitán, quien andaba de prisa y estuvo a punto de arrollarlos, pero pasó de largo. Los guerreros corrieron tras él para ver a dónde se dirigía y lo vieron entrar a su camarote.

Recostado en la cama se encontraba un niño y parecía estar enfermo. El capitán lo tomó en sus brazos y después entró un médico y lo revisó. Luego habló con el capitán y le dijo algo que sólo Tor, gracias a su habilidad increíble, escuchó y comenzó a narrarles a sus compañeros.

El médico dijo que no podía hacer más por el pequeño ni por ninguno de los demás niños que se encontraban en el barco. Tal parecía que se habían intoxicado. El médico advirtió que, si no llegaban pronto a puerto, los niños no sobrevivirían.

Entonces, el capitán salió de prisa hacia el cuarto de control y pidió a la tripulación que lo ayudara a poner el barco a toda marcha. Todos sabían que los niños corrían peligro, así que acataron las órdenes.

Esta escena permitió a los guerreros descubrir que la situación del capitán era diferente a la suya: él actuó porque la vida de los niños estaba en peligro y las culpas del capitán eran injustas pues su intención sólo había sido ayudar. *Mientras más premura amerite una situación, más cautelosos debemos ser. Cargar con la culpa de nuestros errores no los cambia ni los remedia. Es mejor aprender de ellos.*

Con base en esta reflexión, los guerreros quisieron mostrarle al capitán que su esfuerzo no había sido en vano y que, aunque no logró salvar la situación, su experiencia les serviría para hacerle frente a la situación que ahora ellos vivían. Así, quizás el alma del capitán podría descansar pero, ¿cómo comunicárselo? ¡Él no los veía!

Los guerreros intentaban resolver la situación cuando, por accidente, a Silus se le desprendió el medallón; estaba a punto de recogerlo cuando, de un portazo, se abrió el cuarto de máquinas. Desconcertado, el capitán volteó a ver quién estaba allí pero no vio a nadie. De entre las sombras surgió un niño de cuatro años. Era el hijo del capitán y, tras él, venía la niñera, quien pedía disculpas y explicaba que el niño se había aferrado a estar con él.

—Está bien —dijo el capitán—. Puede retirarse.

A continuación, el hombre tomó al niño entre sus brazos y el pequeño preguntó:

—¿Qué es eso que brilla en el piso, papá?

A los guerreros les sorprendió el hecho de que el niño pudiera ver el medallón. Yerpa detuvo a Silus y le pidió que no lo levantara pues tal vez, a través del medallón y de la luz de la luna que entraba por la ventana, se abriera un canal entre los dos mundos.

Entonces, el sonido se abrió para todos y los guerreros pudieron escuchar lo que sucedía. Intentaron aprovechar la oportunidad para comunicarse con el capitán pero había dos impedimentos: estaba a punto de amanecer y el capitán estaba preocupado pues su hijo deliraba por la fiebre tan alta.

Dryna, quien tenía un carisma especial con los niños, aún sin conocerlos, se aproximó al pequeño. Sus movimientos eran pausados y cuidó que la luz de la luna enfocara el medallón y la iluminara también a ella para que el pequeño lograra verla.

—Sé que eres un niño muy valiente y especial —le dijo, una vez colocada frente a él—. Esta noche necesito tu ayuda.

El pequeño, algo desconcertado, asintió con la cabeza. Dryna continuó:

—Necesito que mires a tu padre a los ojos y le digas: "Tu esfuerzo por salvarme no es en vano, aunque en esta ocasión no lo logres. *Tus acciones pueden enseñar a otras personas que no sólo nuestros aciertos, sino también nuestros errores, pueden ayudar a los demás.* Hoy unos guerreros han aprendido gracias a ti y ahora saben *lo importante que es no buscar maneras de ahorrar esfuerzos, que todo tiene un tiempo y que, si está marcado, es porque ese trayecto nos permitirá madurar y aprender distintas cosas, muchas de las cuales no las teníamos previstas.* Las lecciones no sólo nos servirán a nosotros sino a más personas. Descansa, papá, que tu esfuerzo le ha salvado la vida a muchos seres humanos más."

El niño repitió cada palabra que le dictó Dryna y el capitán, sorprendido por el discurso, lo miró conmovido. En medio de un fuerte abrazo, padre e hijo se desvanecieron ante los ojos de los guerreros. La escena, los tripulantes y pasajeros desaparecieron también. El barco quedó abandonado de nuevo.

—Aún no amanece —le dijo Odaglas a Yerpa.

—Eso significa que el capitán descansa tranquilo —respondió Yerpa y tomó al joven del brazo con afecto.

Silus se inclinó para recoger su medallón y, justo debajo de él, encontró una brújula intacta con una leyenda inscrita que decía: "Con gratitud, el capitán." Por fin tenían la brújula que los ayudaría a encontrar el camino.

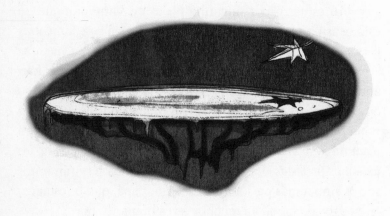

11. La invasión de la decepción

Los guerreros reiniciaron el viaje y ahora contaban con un integrante más: el ave se sentía tan cómoda con ellos que decidió acompañarlos. Juntos revisaron el mapa y, con la ayuda de la brújula, se orientaron para seguir adelante.

Habían avanzado gran parte del camino señalado en el mapa cuando, de repente, una estela de tono azul, distinto a los colores normales del cielo, ensombreció la luz del sol. El ave reconoció a su parvada y, por supuesto, a sus amigos.

—¡Miren, allá van mis amigos! —exclamó con gran emoción y, después de agitar las alas en señal de despedida, se elevó para reunirse con ellos.

Felices, los guerreros se despidieron de ella y se detuvieron a observar cómo esa estela azul se desvanecía por los cielos. A continuación retomaron su andar con mucho ánimo, pues el hecho de saber que iban por el camino correcto les brindaba seguridad y parecía haberles inyectado nuevos bríos.

Conforme avanzaban, notaron que los árboles eran más secos y el lugar se hacía más árido y un tanto pantanoso, pero eso no los detuvo. En lo más alto de las copas de los árboles, a tal distancia que eran casi imperceptibles a la vista de los guerreros, se encontraban unas aves de una rara especie, tan pequeñas que casi no las notaron aunque éstas los observaban a ellos. Entonces, su canto se dejó escuchar. La especie se llamaba ok'om óolal, y su canto pronto comenzó a ejercer un extraño efecto en los guerreros.

Dryna fue la primera en sentir cómo sus pies le parecían más pesados a cada paso y que la tristeza comenzó a invadir su corazón. Acongojada, la joven se detuvo.

—Sigan ustedes —dijo a sus compañeros—. Yo me siento muy débil y sólo les haré perder tiempo.

Los guerreros se sintieron desconcertados al escuchar las palabras de Dryna pues, aunque estaban conscientes de que para ella había sido muy difícil la travesía, durante el viaje se había acoplado a la perfección a las circunstancias y no comprendían tan repentino cambio de actitud.

—Avancemos sólo unos metros más y descansemos —le dijo Odaglas—. Verás que mañana te sentirás mejor.

Dryna, no muy convencida, aceptó la propuesta. Odaglas y el resto del grupo ignoraban que, metros más adelante, el canto de las aves se escuchaba más claro y fuerte, lo cual los ponía en un riesgo mayor e inevitable. Quedarse era igual de peligroso que continuar.

Uno a uno, los guerreros se debilitaron. Después de K-los, Yerpa y Tor, el siguiente en querer detenerse fue Odaglas, quien no podía dejar de sentir decepción. Ése era el estado que invadía cualquier pensamiento que llegaba a su mente. Silus, por el contrario, caminaba como si nada cuando sintió que Odaglas lo tomaba del brazo y le decía a señas: "Sigue adelante."

Con asombro, Silus volteó y miró que sus compañeros estaban tirados en el suelo. Entonces buscó a Libro y

Nicky en el morral de Odaglas y descubrió que también ellos estaban debilitados. Una gran tristeza se reflejaba en todos los rostros.

Silus trató de levantarlos y ayudarlos a seguir adelante, pero era imposible. Tal parecía que, sin importar su salud física, su ánimo estaba enfermo y debilitado. Silus no comprendía lo que sucedía, se sentía desesperado y no sabía qué hacer, así que levantó a cada uno de sus amigos y los acomodó a todos en un sitio que le pareció seguro. Lo que ocurría era que Silus no escuchaba los cantos de las aves y no entendía qué era lo que había atacado a sus compañeros.

Mientras ideaba un plan, sus amigos lucían cada vez peor, débiles y tristes; Silus intentó despertar a Odaglas y con las manos le preguntaba qué les ocurría, pero Odaglas no podía moverse. Sólo ligeros movimientos hacían sus dedos en señal de respuesta; sin embargo, Silus no entendía ni una palabra.

Decidió entonces que debía actuar, así que, con miedo, decidió avanzar para buscar la manera de ayudar a sus amigos y en ese momento fue sorprendido por River, quien salió de entre los árboles y a señas le preguntó: "¿No crees que ésta es una buena ocasión para pedir ayuda?"

Silus, feliz de verlo pero confundido por la pregunta, le respondió: "¿Cómo pedir ayuda si soy un guerrero? Yo debería saber y tener la fuerza para salvar a mis amigos."

River lo miró con ternura y le dijo: *"Ser guerrero no significa ser inmune a las circunstancias difíciles. Tampoco significa que tengas una solución para todo o prescindir de los demás. Ser guerrero es cultivar la fuerza, la actitud, el amor y la fe necesarios para enfrentar las circunstancias difíciles. Aunque*

soy un mago, sé a la perfección que el amor, la fe y la sabiduría de las personas no se generan por arte de magia sino que *se cultivan cada día* conforme los empleamos en nuestras vidas y elegimos *la mejor actitud* que tendremos a cada instante. *Ser un guerrero no significa que no necesites ayuda pues eso te quitaría la oportunidad de aprender lo importante que es trabajo en equipo, compartir tus conocimientos y aprender en unidad. Un guerrero sabe hacer uso de sus recursos para buscar la ayuda necesaria y resolver las situaciones que se le presenten, con mayor razón si está en peligro la vida.*"

River miró a Silus y continuó: "Tu discapacidad te ha servido para no escuchar el mensaje de la decepción. *Todos tenemos tantas cosas por las cuales decepcionarnos y darnos por vencidos que, si les diéramos importancia, nos paralizaríamos.* Las fuerzas del mal lo saben y, aunque cada día se hacen más densas y retorcidas, no habían podido detenerlos hasta el momento."

"*Ustedes han superado cada uno de sus traumas pues dejaron de escudarse en ellos para disfrutar de lo que la vida les ofrece, además de aprovechar la oportunidad de servir.* Están unidos y han aceptado sus diferencias. *Conforme avanzaban en su odisea, han aprendido más cosas y, por consiguiente, más fuertes se han hecho.*"

"Esta situación enfureció a las fuerzas del mal, así que, cada día que pasaba y sin saberlo, ustedes estaban más amenazados. Las sombras decidieron deshacerse de ustedes de una vez por todas y, al ver que las aves les inspiraban confianza, trajeron a las ok'om óolal. Esa especie tiene la particularidad de lograr, con sus cantos, que la gente se sienta decepcionada de lo que le rodea. Las sombras enviaron una pequeña parvada para que, al paso de los guerreros, entonaran su mística canción y éstos, llenos de decepción, desistieran.

"Por eso *es importante estar más atento al entorno, para poder silenciar las voces del desánimo que siempre están dispuestas a hablar.* Tal parece que a las fuerzas del mal se les olvidó que tú serías inmune a los cantos de las aves."

"Ahora necesitas reflexionar, mi querido Silus, y echar mano de tus recursos, de todas las habilidades que has desarrollado por ser sordo. Haz acopio de ellos y utilízalos. La vida de tus amigos depende de ti."

Después de decir esto, River desapareció.

Silus se apresuró a buscar ayuda y, entonces, algo increíble comenzó a suceder. Siempre había tenido buena vista porque, al no poder escuchar, la habilidad de sus ojos estaba muy desarrollada; sin embargo, lo que ahora sucedía era extraordinario: su vista percibía hasta a los insectos más diminutos, las esporas y todos los seres microscópicos.

Silus estaba asombrado de lo que se presentaba a su vista. Todo era nuevo, ¡parecía como si hubiera descubierto otro mundo! El guerrero seguía sin caber en el asombro cuando notó que algo corría con rapidez. Guiado por la curiosidad, Silus siguió aquella figura, la cual era de un tono de rojo muy vivo.

La figura se arrinconó, aterrorizada, y Silus intentó hacerle señas para indicarle que su intención era de paz. El hombrecillo lo observó con curiosidad y de pronto corrió y entró por la pequeña grieta de una piedra. A tirones sacó a otro hombrecillo regordete y de barbas largas que conocía el lenguaje de las señas.

Silus se sorprendió al descubrir que los pequeños seres podían comunicarse con él a través del lenguaje de las manos y les preguntó: "¿Cómo es posible que conozcan el lenguaje de señas?" El hombrecillo suspiró profundo y le contó que, muchos años atrás, un hombre llamado Pedro Ponce de León le enseñó el código a la hija de un rey en España. Él los descubrió un día en plena clase y quedó fascinado; le pareció tan interesante que, a partir de entonces, llegaba puntual a la cita y era como un alumno más, aunque pasaba inadvertido para maestro y alumna. Por eso, la comunicación entre Silus y Táaj nojoch, jach nojoch fluyó a la perfección.

Táaj nojoch, jach nojoch tenía mucha experiencia y varios años de vida; a lo largo de ellos había conocido a grandes personajes, entre ellos, a un sinfín de magos. Tenía muchos conocimientos y, por ello, en cuanto Silus le habló del estado de sus amigos, de inmediato supo que estaban en peligro.

Como Silus tenía una vista increíble, pudo describirle con detalle el lugar en donde se encontraban sus amigos, cada elemento del paisaje, los árboles, las flores y las criaturas que allí habitaban; fue así como Táaj nojoch, jach nojoch identificó, a partir de la descripción de Silus, al ave ok'om óolal. El hombrecillo sabía que ésta le cantaba a la desesperanza y era capaz de infundir ese sentimiento en los seres humanos.

Táaj nojoch, jach nojoch cerró un momento los ojos y recordó que sabía cómo hacer unos tapones mágicos que anulaban el sentido del oído y maximizaban la vista; de esa manera, los guerreros lograrían verse a sí mismos, encontrar el sinsentido de la desesperanza y valorar la vida como el más maravilloso tesoro. *La vida es la oportunidad para cambiar situaciones adversas...* pero, claro, para ello se necesita voluntad.

Si los guerreros lograban verse, si decidían transformar el momento que vivían, si dejaban de prestar atención a lo que es-

cuchaban, si ampliaban su visión para comprender que su principal recurso y bien eran ellos mismos, entonces se salvarían.

En ese momento, Silus comprendió que ser sordo no era tan malo pues así evitaba las voces negativas que se convierten en obstáculos en el camino. Las fuerzas del mal habían logrado frenar a los guerreros y dañarlos a tal grado que, por caer en la desesperanza, habían olvidado sus otros recursos, como la visión.

Con toda la rapidez de que fue capaz, Táaj nojoch, jach nojoch fue a su hogar y preparó el remedio para los guerreros; al terminar, guardó los tapones mágicos en un pequeño costal. Después salió, le hizo una indicación a Silus y subió a su hombro. El guerrero sordo apuró la marcha para volver al lugar en donde yacían sus amigos.

Al llegar les colocaron los tapones con rapidez y uno a uno abrió los ojos y se recuperó hasta ponerse de pie. Silus les presento al pequeño Táaj nojoch, jach nojoch y después les explicó que durante un tiempo no escucharían nada y que podrían quitarse los tapones cuando hubieran superado el tramo del bosque donde corrían peligro. Mientras tanto, él los guiaría hasta el hogar del hombrecillo porque era un lugar seguro.

Emprendieron, pues, el camino y superaron el área peligrosa del bosque. Al llegar a la aldea de Táaj nojoch, jach nojoch, Silus comentó a sus amigos que llevaban puestos unos tapones mágicos y les explicó su utilidad. También les habló sobre los desastrosos efectos del canto del ave ok'om óolal. Gracias a esta experiencia, los guerreros aprendieron *lo importante que es darle un valor equilibrado a todos sus sentidos.*

Para entonces, ya se había corrido la voz entre los Táaj nojoch, jach nojoch de que los guerreros estaban en su aldea y todos querían verlos, pues sabían de su existencia, su historia y la misión que les fue encomendada.

Sin darse cuenta, los guerreros se encontraron rodeados por una gran celebración de pequeños hombres y mujeres, además de deliciosos alimentos y refrescantes bebidas.

Los guerreros estaban felices y fue así como confirmaron que, *tras vivir y enfrentar un momento adverso, es posible vivir momentos maravillosos.* Después de comer y beber, los viajeros descansaron y se repusieron para continuar el viaje.

Guiados por el entusiasmo y el mapa de Odaglas, la experiencia de Yerpa, la fuerza de K-los, el increíble oído de Tor, la visión extraordinaria de Silus, la dulzura de Dryna y la lealtad de las mascotas Libro y Nicky, además de todo lo que habían aprendido, los guerreros siguieron adelante.

Los lugares a donde los condujo el mapa eran fantásticos. En las noches, la luna se acercaba tanto a la Tierra que parecía que podían tocarla y durante el día, cuando el sol provocaba un calor intenso, el rocío refrescante los ayudaban a continuar.

12. Un toro hecho de sombras

Los momentos malos y buenos habían fortalecido la amistad entre los guerreros. Silus notaba las miradas que Odaglas y Dryna cruzaban en medio de una sonrisa y entonces él codeaba al joven Odaglas, quien no le decía nada.

Mientras caminaban, los viajeros fueron sorprendidos por un viento de sombras muy parecidas a aquellas que habían querido robar los medallones. El viento se dirigió hacia los guerreros a gran velocidad y, en cuanto éstos se percataron de que las presencias tomaban la forma difuminada de un toro alado que ostentaba unas enormes garras, corrieron a resguardarse.

Sin embargo, Dryna, quien no tenía muy buen equilibrio, cayó y la criatura de sombras aprovechó el momento para volar en picada, sujetarla por la capucha con las garras y elevarse con ella. En la confusión, Dryna no logró sostener el morral donde transportaba al pequeño Nicky, su medallón y sus provisiones.

El rapto sucedió en fracciones de segundo y los guerreros no pudieron reaccionar a tiempo. Odaglas corrió hasta el morral, lo recogió y revisó que Nicky estuviera bien. El cachorro salió un poco atarantado. Los demás seguían con la mirada al toro, el cual desapareció de su vista al instante.

Preocupados y desesperados, los guerreros se preguntaban dónde encontrar a Dryna y cómo podrían rescatarla.

Apresurados, los guerreros caminaron en la misma dirección en que vieron volar a la criatura, pero sabían que su paradero era incierto pues pudo cambiar de rumbo o descender en cualquier sitio. El sol, poco a poco, dejaba su lugar a la luna y, mientras menos luz había, más crecía la tensión y el temor que los guerreros sentían por el destino de Dryna. La noche lo cubrió todo.

—Es inútil seguir en medio de la oscuridad sin dirección —dijo Yerpa—. Debemos acampar y continuar mañana, justo al salir los primeros rayos del sol.

Aunque en realidad los guerreros querían continuar la búsqueda, aceptaron que Yerpa tenía razón. Odaglas no podía conciliar el sueño, así que se levantó y, de manera involuntaria, miró hacia las estrellas mientras se decía: "¡Qué tontería! ¿Cómo pretendo ver pasar a esa terrible criatura en medio de la oscuridad si esta hecha de sombras? Y, aunque la viera, no podría detenerla."

En un instante sus piernas parecieron perder la fuerza.

"¿Qué haré sin Dryna?", se preguntaba. Entonces, en un destello de luz sintió la presencia de Paztillín quien, con voz suave y dulce, le dijo:

—Conserva la calma, Odaglas. *Tienes que aprender a confiar. Hay momentos en la vida en que es necesario no moverse, no hacer nada y esperar.* Dale un voto de confianza a Dryna, está hecha del mismo material que cada uno de ustedes y saldrá adelante.

—¿Cómo puedo ayudarla? ¡Me siento culpable! Yo la convencí de venir y con ello he puesto en riesgo su vida —se lamentaba el joven guerrero.

—Aunque hubieras insistido con toda tu fuerza, si ella no lo hubiera deseado, no habría emprendido el viaje. Ser parte del grupo fue su decisión. *No puedes responsabilizarte por las decisiones de los demás* —respondió Paztillín con dulzura.

—No comprendo —dijo Odaglas—; he ayudado a tantas personas y, ahora que deseo ayudar a Dryna, la única salida es esperar.

Paztillín lo envolvió con su comprensión:

—Querido Odaglas, para ayudar a Dryna *debes darle la oportunidad de medirse, debes permitir que descubra de lo que es capaz y que reconozca la fortaleza de su espíritu.* Además, te toca aprender que *no puedes resolverlo todo y que, muchas veces, no hacer nada por otra persona, para bien o para mal, es la mejor forma de ayudarle.*

Tras escuchar estas sabias palabras, Odaglas afirmó:

—¡Qué difícil prueba me ha tocado! ¡Nunca imaginé que no hacer nada fuera tan complicado!

Paztillín se desvaneció y lo dejó solo. Al regresar con el resto de los guerreros, a quienes imaginaba dormidos, Odaglas sintió la mano de Silus en su hombro, luego la de Tor, la de K-los y la de Yerpa.

—Cuentas con nuestro apoyo —le dijeron—. Pronto la encontraremos. Dryna no tiene dos manos: tiene todas éstas.

Odaglas se sintió feliz y agradecido por el cariño y el apoyo de sus amigos. A pesar de todo, los guerreros lograron descansar esa noche.

Mientras tanto, en pleno vuelo, la criatura hecha de sombras del mal le dijo a Dryna con voz estridente:

—Me llamo Domié porque despierto pavor en todo aquel que me conoce, y tú no serás ajena a ello.

En cuanto terminó de hablar alcanzó la cima de una montaña pero, al descender, descubrió que lo único que sujetaban sus garras era la capucha de Dryna.

Durante el camino, aunque asustada, Dryna observó el trayecto con atención y, con ayuda de sus pies, logró desatar el nudo de la capucha para dejarse caer en un punto en donde el toro alado volaba bajo.

Al impactarse contra el suelo, la guerrera se golpeó la cabeza y perdió el conocimiento durante unas horas. Cuando despertó aún había luz y, en su desesperación por regresar con su grupo, intentó retomar el camino que vio desde lo alto.

Uno de los mayores miedos de Dryna era estar sola y sentirse incapaz de resolver la situación; en la inmensidad del bosque se sintió perdida, desesperada y, sin poder contenerse, comenzó a llorar y a correr al mismo tiempo. No quería estar sola ni un instante más, pero la alcanzó la noche.

Dryna se detuvo, se acurrucó al pie de un árbol y allí dio rienda suelta a su angustia. Le resultaba muy difícil enfrentar la oscuridad y la soledad; además, estaba aterrorizada pues cada sonido desconocido le parecía amenazador. Así, mientras lloraba, el sueño la venció.

A la mañana siguiente se puso de pie y siguió adelante; caminó y caminó durante gran parte del día hasta que llegó a la orilla de un lago y entonces recordó que lo había visto mientras viajaba sostenida por las garras de Domié. Sintió alegría y alivio; después de todo, tal vez no estaba tan perdida.

Aunque no tenía brazos, Dryna era muy buena nadadora. Había aprendido a nadar gracias a la práctica, constancia y ayuda de su papá. Después de decidir que sería más rápido cruzarlo a nado que rodearlo a pie, sin pensarlo más se lanzó al agua y comenzó a nadar. Tanta era su urgencia por llegar y por no sentirse sola que no consideró que el sol estaba por ocultarse, la luz se desvanecía poco a poco y a ella le faltaba un gran tramo para alcanzar la otra orilla. Se encontraba en un punto desde el cual el regreso tampoco era una posibilidad.

Dryna estaba ante otra disyuntiva. En medio del lago y en plena oscuridad, la guerrera nadaba cautelosa cuando, de pronto, las tranquilas aguas comenzaron a agitarse. Parecía que había algo en lo profundo y Dryna se asustó aún más cuando sintió una presencia detrás de ella: el agua parecía levantarse a sus espaldas para seguirla.

El miedo la obligó a girar por completo, cerró los ojos y dijo para sí: "No, no, por favor; esto no puede sucederme." Cuando abrió los ojos, notó que el agua recuperaba la calma. A Dryna le pareció un suceso tan extraño que intuyó que aquello que la acechaba estaba escondido bajo el agua y esperaba el momento oportuno para atacarla.

El agua se agitó de nuevo y Dryna estaba confundida. No entendía nada. Entonces, una pequeña luz juguetona se le acercó.

—Deja de jugar con el agua... ¡me asustas! —dijo la luciérnaga.

Dryna la miró con cara de confusión absoluta.

—Yo no hago esto con el agua, ¿cómo podría? —preguntó.

—Claro que lo haces. Este lugar es mágico y reproduce lo que sientes o crees. Si imaginas que hay algo malo en lo profundo, harás que eso se genere justo en donde lo piensas —explicó la luciérnaga y, al ver que Dryna no comprendía, continuó—. Es muy sencillo: *Lo que construyes en tu mente, tarde o temprano toma forma en el exterior. Como piensas que algo te acecha, así sucederá.*

—No era mi intención. Tengo miedo porque estoy sola. Comencé a nadar porque creí que llegaría más rápido, pero oscureció y no veo más allá de lo que tú iluminas. Me asusté… —dijo Dryna. La luciérnaga la miró con cierta compasión y dijo:

—*No estás sola, estás contigo.* No te conozco, pero intuyo que eres buena. No existe razón alguna para que alguien no quiera hacerte compañía; entonces, ¿por qué no quieres acompañarte tú? —después agregó:

En la vida es importante tener tiempo para disfrutarnos, redescubrirnos, renovarnos, descansar, crear nuevos sueños o compartir con nosotros mismos; así, además, quienes nos rodean disfrutarán más de nuestra compañía.

Dryna comprendió a la perfección las palabras de la pequeña lucecilla.

—Tienes razón pero, si hubiera más luz para distinguir la orilla… —suspiró la guerrera.

—Este bosque se llama Contigo; es un lugar mágico y se llama así porque *aquí se vuelve realidad lo que guardas en tu interior.* He visto personas que traen consigo tanta tristeza que el bosque entero se marchita, o tanta amargura que se llena de plagas, o que, por el contrario, sienten tanta alegría que todo se llena de flores. Veo en ti mucha luz. ¿Por qué no imaginas una noche brillante? —sugirió la luciérnaga. Dryna lo intentó, pero ni una estrella se movió de su sitio.

—Creo que no haces bien las cosas —observó la luciérnaga—. El sol no puede aparecer en plena noche. *Utiliza todo lo que te rodea a tu favor.* En este momento tienes la luna, las estrellas y a mí... si juntas todos estos recursos, tendrás lo que necesitas.

Dryna comprendió por fin lo que la luciérnaga intentaba decirle desde el principio.

—Con la luna llena y tantas estrellas, es momento de poner de mi parte —afirmó.

Entonces, Dryna hizo un esfuerzo para adaptar sus ojos a la luz que había y logró observar con claridad lo que sucedía alrededor. Así descubrió *el poder de la adaptación: cuando uno se esfuerza por adaptarse a las circunstancias con las herramientas con las cuales cuenta, crece su capacidad para enfrentar la vida de forma positiva.*

19. El murmullo de las flores estrella

La guerrera logró cruzar el lago en compañía de la luciérnaga y, ya en la otra orilla, la miró y le dijo:

—No nos hemos presentado. Me llamo Dryna, ¿y tú?

—Libélula Elora —respondió la pequeña luciérnaga.

—¿Libélula? —le preguntó Dryna, intrigada—. ¿Por qué te llamas Libélula si eres una luciérnaga?

—En donde vivo puedes elegir tu nombre —explicó Libélula Elora—. Yo creía que era una libélula y por eso me puse así; luego descubrí que tenía luz propia y que, a donde iba, iluminaba el camino, el mío y el de quienes me acompañaban. Durante mucho tiempo estuve muy atenta al tamaño tan pequeño de mis alas, a mis patas tan delgadas y frágiles, a las características que, en comparación con otros animales, me hacían parecer poca cosa. *Estar atenta a eso me había impedido ver mi luz* —concluyó.

—¿Cómo descubriste que eras capaz de iluminarte a ti y a los demás? —preguntó Dryna.

—Igual que tú. Cuando llegué a este bosque, aprendí que todo lo que pensaba o sentía, sucedía. Hace algún tiempo, unas extrañas nubes taparon la luz del sol y las flores estrella comenzaron a marchitarse; esas flores son muy especiales porque, cuando un hada se casa, las demás hadas utilizan su magia para hacer el ramo y los arreglos con trozos de estrella y, para que no mueran, las hadas las regalan al bosque.

"Cuando empezaron a marchitarse me preocupé por ellas y me entristecí ante la posibilidad de que desaparecieran porque, en la noche, esas flores tienen una blancura tan especial qué da la impresión de que las estrellas se posaran en los arbustos del bosque."

"Me acerqué a las flores y deseé con todo mi corazón ayudarlas, *hacer algo por ellas a cambio de nada*. Entonces, una pequeña luz empezó a emanar de mí y, mientras más deseaba ayudar, más intensa se hacía. La luz me sirvió para lograr que una de las flores se recuperara y poco a poco volvió a brillar. Su luz y la mía sanaron a un par de flores más. Así continuamos hasta que todas revivieron y, con su brillo, dispersaron las nubes que tapaban al sol."

"De esa experiencia aprendí que *no importa lo pequeños y frágiles que podamos parecer, pues siempre tendremos la capacidad de ayudar cuando lo deseemos. Al ayudar podemos iluminarnos e iluminar la vida de los demás*: luciérnagas, estrellas, flores estrella y hasta al mismo sol, sin importar la intensidad de su luz. Lo importante es que *todas las luces dan vida en distintos sentidos, y todos podemos reflejarla*."

—¡Qué hermosa historia, Elora! —exclamó Dryna—. Muchas gracias por compartirla conmigo y por ayudarme a cruzar el lago. Sin ti no lo hubiera logrado.

—Lo mismo que las flores estrella, *todos necesitamos de todos* —afirmó Elora. Dryna asintió y después le comentó a la lucecita:

—Me preocupa encontrar a mis amigos y no sé cómo hacerlo.

—Hay una parte de la historia que no te he contado: tras salvar a las flores estrella, las hadas me concedieron un deseo que aún no he utilizado y que quiero regalarte —dijo Libélula Elora.

—No, no puedo aceptarlo —respondió Dryna, muy avergonzada.

—Insisto; sé de la misión que tú y tus amigos deben cumplir. Quiero ayudarte. Sólo necesitamos invocar a las hadas al tiempo que acariciamos a las flores y susurramos su nombre. Ellas vendrán.

Así lo hizo y de inmediato aparecieron las hadas. Elora les comentó la situación y les dijo que quería ceder su deseo a Dryna.

Las hadas le explicaron a la joven las condiciones para concederle el deseo. Sabían que un deseo concedido tenía más utilidad cuando podía trascender y, aunque nunca resolvía un reto personal, siempre allanaba el camino.

En este caso, ayudaron a Dryna a reflexionar respecto de cuál podría ser la herramienta que le ayudaría a lograr su propósito. Tras meditarlo durante un momento, Dryna les dijo que sabía que *contaba con la fuerza física para llegar hasta sus amigos, pero que ésta no era nada sin la fuerza del alma.* ¡Eso era lo único que necesitaba para encontrarlos! Entonces, las hadas brillaron con tal intensidad que la deslumbraron y, tras un destello, desaparecieron y la dejaron en la oscuridad completa. Era una oscuridad muy intensa, similar a la que precede al amanecer.

El tierno sol comenzó a salir. Eran los primeros rayos de la mañana y, aunque no era un bosque conocido para Dryna, por un instante aquel paisaje le pareció familiar. De hecho, le recordó su infancia. Antes de iniciar esa aventura y de conocer a los guerreros, incluso antes de pertenecer al circo, recordó aquellas mañanas que compartía con su padre.

A lo lejos vio la silueta de un hombre que caminaba hacia ella. A pesar de que no distinguía las facciones de su rostro, lo reconoció de inmediato: era su padre, quien, a paso firme, llegó hasta ella.

—Corre, *la vida es tuya*. Yo estaré contigo siempre —le dijo.

Al verlo y escucharlo, Dryna se sintió muy conmovida. ¡Era el mejor deseo que le habían podido conceder! Revivir ese momento le daría fuerza a su alma para hacer uso de su increíble poder de adaptación a las circunstancias.

Con una gran emoción que hacía latir su corazón a mil por hora, Dryna corrió como si su corazón le dictara el camino a seguir.

Mientras tanto, Odaglas y los demás guerreros trataban de encontrar algún rastro de Dryna y llegaron hasta una ancha y alta cascada de aguas cristalinas donde unas jirafas tomaban agua. Los guerreros también se acercaron a beber mientras las jirafas los miraban con cautela.

Cuando Odaglas se agachó, su medallón se asomó entre sus ropas y permitió que un rayo de sol lo hiciera brillar. Entonces, las jirafas se aproximaron a Odaglas e hicieron una reverencia. Odaglas se sorprendió mucho de que aquellos animales salvajes se acercaran a él de manera pacífica y, con tal postura, el líder de la manada le dijo:

—Sé quién eres. Los llevaremos, a ti y a los demás guerreros, hasta las orillas de la montaña Secreto Mukul, ta'ak tsikbal. Conocemos su esfuerzo y merecen recibir nuestro apoyo.

A Odaglas le dio mucho gusto recibir esta noticia pues con la ayuda de las jirafas encontrarían más pronto a Dryna. Los guerreros se montaron en los lomos de los hermosos animales sólo para descubrir que no se trataba de jirafas comunes, pues extendieron unas enormes alas y emprendieron el vuelo.

Sobre las jirafas recorrieron cientos de kilómetros hasta que, a lo lejos, Silus vio la capa de Dryna y descendió con su jirafa para recuperarla. Todo parecía indicar que estaban cerca de encontrar a la joven guerrera perdida.

Desde el aire llegaron al bosque Contigo y, para entonces, las jirafas parecían cansadas. Sucedía que no estaban acostumbradas a volar con peso adicional y, por ello, Odaglas consideró conveniente tomar un descanso a la orilla del lago, junto a las flores estrella. Éstas, al ver a los guerreros, voltearon hacia ellos cual si fueran girasoles.

Odaglas, quien era muy sensible, no tardó en sentirse observado. Cuando dirigió su mirada hacia las flores, éstas parecieron estremecerse cómplices de algún secreto. Una oleada de viento los rodeó; era ese tipo de viento que mueve las hojas de los árboles como si los hiciera hablar.

Entre susurros, Odaglas escuchó con claridad que las flores, entre tímidas risas, decían: "Es él, es él."

Al joven guerrero ya no le extrañaba la magia del bosque y, al recordar la reacción de las jirafas ante él, no tardó en contestar:

—Así es; yo soy el guerrero que tiene encomendada la misión de salvar Villa Eclipse.

El viento volvió a soplar.

—¡Además es un guerrero! ¡Qué emoción! —susurraron las flores.

Odaglas se desconcertó pues se le ocurrió que, lo mismo que las jirafas, las flores lo conocían por su misión.

—¿Por qué saben de mí? —preguntó presuroso a las flores.

—Dryna habla muy bonito de ti. Te conocimos a través de ella aunque nunca imaginamos que te veríamos. Ella partió en tu búsqueda —susurraron las flores con otro soplo de viento.

Tras escucharlas, el joven guerrero, muy emocionado, dijo a sus compañeros que Dryna había estado allí y que las flores la habían visto. Odaglas entonces les preguntó a las flores hacia dónde había partido Dryna. Ellas señalaron la dirección y se ofrecieron a orientarlo con ayuda del viento.

Lleno de alegría y gratitud, Odaglas aceptó la propuesta. Con las jirafas, los guerreros partieron guiados por los susurros de las flores y los árboles del bosque. Las jirafas no volaron para que Odaglas pudiera escuchar al viento.

En otro lugar del mismo bosque, Dryna escuchó a lo lejos los pasos presurosos de una manada y se escondió tras unos arbustos, temerosa de que las fuerzas del mal estuvieran tras ella de nuevo. Las pisadas parecían estar cada vez más cerca; sin embargo, de pronto dejaron de escucharse y la joven guerrera sólo percibió unas muy suaves, semejantes a las de una persona. Entonces, Dryna se asomó con cautela y pudo ver aproximarse a Odaglas.

Por fin, después de tanto tiempo separada del grupo, Dryna salió feliz de su escondite y corrió hasta el joven guerrero, quien la abrazó con fuerza. Los demás guerreros se apearon de prisa de las jirafas pues también querían abrazarla.

Odaglas le entregó su capa y el morral de donde salió Nicky, feliz de volver a verla. Por fin estaban juntos otra vez. El tiempo de separación le había permitido a Dryna madurar y enfrentar una situación adversa y superarla con sus recursos.

Es verdad que todos necesitamos de todos, pero *hay momentos en la vida en los cuales es fundamental hacernos responsables cuando nos toca estar al frente de las circunstancias, aplicar lo aprendido y utilizar las herramientas y conocimientos con los que contamos. Es importante no permitir que las circunstancias difíciles determinen nuestra actitud o nuestro ánimo; por el contrario, es en esos momentos cuando la buena actitud y el ánimo positivo nos ayudan a superar las adversidades.* Dryna aprendió una importante lección al estar consigo misma.

14. Puñados de arena y chorros de agua

Tras el reencuentro, los guerreros sabían que era necesario reanudar el viaje, así que consultaron en el mapa y descubrieron que les faltaba poco camino por recorrer. Con ayuda de la brújula que el capitán les regaló, determinaron que la montaña que buscaban estaba en el centro de una isla próxima, de manera que decidieron partir de inmediato.

Sobre las jirafas aladas, los guerreros llegaron más pronto de lo previsto a su destino, pero no estaban solos: las fuerzas del mal los seguían de cerca y estaban furiosas por haber fallado en todos sus intentos por hacerlos desistir. Alimentadas por su enojo, las fuerzas del mal aprovecharon la oscuridad de la noche para liberar violentas ráfagas de viento que provocaron que las jirafas tuvieran que descender de golpe. Los guerreros no quisieron esperar más y agradecieron su ayuda a los hermosos animales. Las jirafas se inclinaron una vez más ante Odaglas.

—Los seres increíbles siempre estamos dispuestos a ayudar a quienes se esfuerzan no sólo por su bienestar, sino que *luchan con amor y espíritu de servicio por hacer de éste un mundo mejor para todos* —le dijeron—. En nosotros siempre tendrán amigos fieles y dispuestos a ayudarlos.

Los guerreros estaban listos para continuar pero las ráfagas de viento causaron que el mar levantara unas olas inmensas; desesperados, buscaron la forma de atravesar el mar para llegar a la isla y escalar la montaña, pero resultaba casi imposible. Entonces, analizaron diversas opciones pero, sin un navío o al menos una balsa, ¿cómo podrían cruzar?

De súbito, a Silus le cayó un puñado de arena, como si alguien se lo hubiera arrojado, pero no había nadie alrededor. Con K-los sucedió lo mismo y éste pensó que tal vez Tor les jugaba una broma. Sin embargo, Tor estaba atento a la estrategia que Odaglas planeaba. De pronto, a Dryna también le cayó un puñado de arena y descubrió a unas tortugas bebé que avanzaban en dirección al mar. Todos dirigieron la mirada hacia ellas y entonces aparecieron unas huellas sobre la arena. Poco a poco, y en compañía de las tortugas bebé, se formó la imagen de Lici.

Gustosos, los guerreros se acercaron a saludarla. Hacía mucho tiempo que no tenían noticias de los guardianes.

Lici, con voz suave que infundía ternura, y al tiempo que observaba a las pequeñas tortugas, preguntó:

—¿No son hermosas? —a continuación tomó una tortuguita entre sus manos y comentó—. La naturaleza es tan sabia que, *desde que cada ser nace, una parte de él ya sabe cuál es su camino a* seguir. Sin embargo, al crecer, los seres aprenden que el mundo es de determinada manera y dan cabida al miedo y a la desconfianza, se guían por otras formas de pensar, a veces buenas, a veces malas, y se desvían del camino. Esto puede evitarse si los seres no olvidan su esencia y usan como herramientas los elementos que los rodean; así, nunca podrán perderse.

"Las tortugas se permiten explorar su entorno, disfrutar del viaje, descubrir y asombrarse, aunque ahora están presurosas por llegar al mar. Las tortugas se toman su tiempo para dar un nuevo paso."

"En este momento, ustedes están desesperados por llegar. Sé que su misión apremia, tal y como sucede con el cumplimiento de los sueños; pero, *cuando menos lo esperamos, el viaje ha terminado y la vida se va con la prisa por alcanzar algo que, aunque resulte paradójico, siempre decidimos posponer sin darnos cuenta.*"

"Los poblados tienen observatorios en los puntos más altos y esto sucede porque *las cosas se ven distintas si cambiamos de perspectiva. Es importante darnos un tiempo y hacer un alto en el camino para ver con claridad dónde estamos parados y reflexionar sobre nuestras circunstancias con el fin de prepararnos, ser conscientes y obtener las herramientas adecuadas para enfrentar la situación.*"

"*Es necesario valorar los aprendizajes y a las personas que nos rodean, además de disfrutar de cada paso dado para recargarnos de energía y continuar con convicción y decisión. Si es necesario, deben replantearse las exigencias.*"

Lici depositó a la tortuguita sobre la arena y ésta continuó su camino hacia el mar.

Las miradas de los guerreros estaban tan concentradas en ese pequeño ser que, cuando buscaron a Lici, ésta había desaparecido. Fue así que aprendieron *la importancia de salir del camino por un momento y hacer una pausa.*

El viento que hacía crecer las olas del mar comenzó a perder fuerza y, entonces, los guerreros escucharon un estruendo extraño. La oscuridad les dificultaba ver, así que se acercaron al mar. Gracias a la luz de la luna, los amigos pudieron observar que el alboroto del mar provocó que una ballena encallara y que estaba a punto de morir. Pronto, los guerreros se unieron para ayudarla a regresar al mar abierto, tarea difícil pues la ballena era de gran tamaño y peso.

Durante varias horas mojaron las partes del gigantesco cuerpo que sobresalían del agua y aprovechaban el vaivén de las olas para empujarla con toda su fuerza y energía, siempre con cuidado de no lastimarla. No fue sino hasta que la marea subió que pudieron devolverla al mar y a la vida.

Se sintieron felices por haber salvado a la ballena, pero sabían que tenían una misión por cumplir y ya no querían esperar más. Habían dejado todo por rescatar a otro ser y en ello invirtieron tiempo, esfuerzo y energía y, gracias a ello, aprendieron que *no sólo ellos tenían sueños, sino que muchos seres vivos a su alrededor también los tenían, seres con una vida por delante que necesitan la ayuda o el apoyo de alguien más. Así entendieron la importancia de hacer un alto en el camino para mirar alrededor y asistir a quien lo necesita.*

Su acción fue recompensada: la ballena, llena de gratitud, se ofreció a llevarlos hasta la isla. Los guerreros realizaron un mágico viaje por el mar y la ballena nadaba con suavidad para evitar que cayera alguno de sus pasajeros. Todos rieron mucho cuando, sin querer, la ballena los salpicó con el enorme chorro de agua que brotaba de su lomo.

Tal parecía que todo saldría bien y que lograrían llegar a la isla sin contratiempos; sin embargo, las fuerzas del mal los seguían de cerca pues todos sus intentos anteriores por detener a los guerreros habían fallado.

15. La maldición y el espejo

Estaban a unos metros de alcanzar la playa cuando unas enormes mantarrayas, casi del tamaño de la ballena, los acecharon hechizadas por las sombras. Tras perseguirlos durante algún tiempo lograron cansar a la ballena y ésta bajó la velocidad; entonces, las mantarrayas decidieron atacar: sólo necesitaban un aguijonazo certero en el corazón de Odaglas y eso intentaron, pero el joven logró esquivar cada intento.

Furiosas, las mantarrayas se unieron en círculo y formaron un remolino con el mar al tiempo que lanzaban su maldición sobre Odaglas:

—No siempre podrás hacer tu voluntad. Cuando trates de ayudar, pondrás en peligro a quien busca ayuda; en cuanto lo intentes, en polvo lo convertirás.

Las ropas de Odaglas, herido al fin, se rasgaron y se mancharon de sangre. El joven guerrero perdió el conocimiento. Sus compañeros estaban muy preocupados y desesperados por ayudarlo; entonces, la ballena recordó cuando estaba encallada en la orilla del mar, vio a ese joven y a sus amigos y decidió hacer lo posible por salvarle la vida.

Sin importarle el riesgo, la generosa ballena los transportó hasta un puerto pesquero, al cual nunca se acercaba por el peligro que corría, y los dejó muy cerca del muelle.

Los guerreros agradecieron a su amiga y cargaron a Odaglas para llevarlo a tierra firme.

Muchos marinos que estaban cerca observaron atónitos cómo la ballena había ayudado a esas personas y, sin perder tiempo, se lanzaron al mar para colaborar. Ya fuera del agua, los hombres condujeron a los guerreros a la casa del médico, quien estaba concentrado por completo en los preparativos de la boda de su hija menor; aun así, al escuchar el alboroto, dejó lo que hacía y salió al recibidor.

Allí vio al joven inconsciente y pidió que lo llevaran hasta una cama donde atendía a sus pacientes, pues necesitaba revisar la herida. Después, pidió a los presentes salir del cuarto y llamó a su esposa para que lo asistiera. Llenos de angustia, los guerreros esperaban el diagnostico del médico en el recibidor.

Después de un rato, el médico salió de la habitación con el rostro desencajado. Al ver su expresión, los guerreros esperaron escuchar lo peor y comenzaron a bombardearlo con preguntas, pero él los paró en seco.

—No puedo responder tantas preguntas al mismo tiempo. Sé que están preocupados por su amigo pero necesito que uno de ustedes, sólo uno, me acompañe a verlo y me explique con exactitud qué sucedió —dijo el médico.

—Yo iré; puedo explicarle lo que usted necesite —se adelantó Dryna, quien sentía una urgencia tremenda por saber cómo estaba Odaglas.

El médico la hizo pasar. Lo primero que vio la joven fue la ropa ensangrentada y no pudo evitar que las lágrimas rodaran por su rostro. La esposa del médico se acercó y, en señal de consuelo, la tomó por los hombros y la condujo hasta la cama.

El médico retiró las sábanas y Dryna se sorprendió pues el pecho de Odaglas estaba intacto. No había ni rastro de herida alguna, salvo una pequeña marca del aguijón de una mantarraya.

Mientras Dryna lo observaba atónita y desconcertada, Odaglas comenzó a incorporarse. Estaba desorientado. Intentó levantarse pero el médico le pidió que permaneciera recostado, pues aún no sabía cuál era su estado de salud.

Odaglas obedeció y pidió hablar a solas con Dryna. El médico y su esposa salieron y comenzaron a intentar reconstruir lo sucedido para encontrar una explicación.

De manera sorpresiva, de la chimenea del cuarto salió Llamita. Al verla, Dryna y Odaglas se sintieron aliviados. Llamita le pidió a Odaglas, quien se había puesto en pie, que llamara a los demás guerreros. Éste salió de la habitación y causó asombro de nuevo, ya que sus amigos pensaban que estaba muy mal herido. Felices, lo abrazaron, entraron a la habitación y se maravillaron ante la presencia de Llamita.

—Mis niños, también me siento feliz de verlos y de que Odaglas esté a salvo, pero hay un motivo de tristeza —les dijo—. Las fuerzas del mal lanzaron sobre él un hechizo que tendrán que contrarrestar. ¿Recuerdan las palabras proferidas por la mantarraya al atacar a Odaglas?

Los guerreros, confundidos, respondieron:

—Estábamos tan alterados que no pusimos atención…

—Pues les contaré —continuó Llamita—: el hechizo impide que Odaglas ayude a cualquier ser; de hacerlo, sólo provocará su desintegración. Este hechizo es un obstáculo para llevar a buen fin la misión. Sólo podrán superarlo si encuentran la forma de contrarrestarlo.

El grupo intentaba encontrar una solución, pero Libro y Nicky los interrumpieron. Jugueteaban a su alrededor y, gracias a eso, el espejo de Dryna salió de su morral. Se trataba de un objeto poco común en ese tiempo. Su reflejo era perfecto, mientras que el de la mayoría de los espejos mostraba distorsiones y se oscurecían u opacaban pronto por la acción del aire. La técnica para fabricar espejos como el de Dryna era tan especial que los venecianos la mantuvieron en secreto durante varios años; tanto que, de acuerdo con las leyes vigentes en la Venecia de entonces, se imponía la pena de muerte a todo aquel que la revelara.

Dryna recordó lo anterior y le pidió a Llamita que hiciera mágico su espejo. Nadie entendía para qué podría querer un espejo mágico y cómo podría ayudarlos.

—En este viaje he aprendido que *superar las adversidades es posible; de hecho, cada adversidad tiene una y mil formas de resolverse* —explicó Dryna—. Cuando las fuerzas del mal nos ataquen, Odaglas se mirará en el espejo sin hacer nada ante la situación, lo cual, desde luego, no le gustará.

"Cuando vea con claridad que vive una experiencia desagradable porque lo lastima, porque no conduce al logro de sus sueños o porque lastima a otras personas, Odaglas querrá cambiarla y el primer paso estará dado: *el hecho de darse cuenta abrirá el cofre de las posibilidades para transformar la situación.*"

"Al verse en el espejo, Odaglas podrá percibir el panorama completo y ver con claridad aquello que quiere cambiar; justo entonces deberá meterse al espejo e intercambiar lugares con su reflejo —ahora, Dryna se dirigió hacia Odaglas—. Una vez que lo hagas, podrás ayudar a las personas sin generar daño, pues no intervendrás tú, sino tu reflejo. Así se romperá el hechizo."

"*Muchas veces, la vida nos brinda la oportunidad de ayudar de manera indirecta. Todas nuestras acciones son como la onda que genera una gota al caer en un lago: su alcance puede ser infinito y llegar a quien menos nos imaginemos.*"

Tras esta explicación, los guerreros comprendieron la utilidad del espejo mágico. Entonces, Llamita lo envolvió en su calor y abrió la posibilidad de que Odaglas entrara en él para dejar salir a su reflejo. Después, desapareció.

Los guerreros salieron de la habitación para continuar con su viaje y buscaron al médico y a su esposa para agradecerles su apoyo y hospitalidad. Ademar y Jobita, que así se llamaban el médico y su esposa, les impidieron marcharse por lo tarde que ya era y además los invitaron a la boda de Alba, su hija más pequeña.

Sin poder negarse, los guerreros aceptaron quedarse y de pronto escucharon un escándalo. Tal parecía que alguien había irrumpido en la bodega donde guardaban los alimentos, las bebidas y los adornos para la boda. Pronto, todos acudieron al sitio para ver qué sucedía y entre las sombras descubrieron que algo destruía cuanto encontraba a su paso.

Así, de un golpe, la fiera abrió un boquete en la pared que permitió que se filtrara la luz de la luna y entonces se mostró ante sus ojos: era como una hiena enorme que caminaba en dos patas.

Los hombres del pueblo hicieron todo lo posible por detenerla sin ningún resultado, así que, atemorizados, huyeron a resguardarse en sus hogares. La bestia abandonó la bodega del médico y los guerreros la siguieron hasta darle alcance. Le lanzaron sogas para detenerla pero sólo era posible inmovilizarla durante unos minutos.

—¡Éste es un buen momento para probar tu plan! —le gritó Odaglas a Dryna, quien sacó el espejo y lo colocó, con ayuda de su pie, frente al joven para que éste lograra ver su reflejo sin que la bestia descubriera lo que hacía. En medio de un intenso destello que deslumbró a la bestia, Odaglas y su reflejo intercambiaron lugares. Así, desde el espejo, el guerrero condujo a su reflejo para combatirla.

Del interior de la tierra comenzaron a brotar las sombras de las fuerzas del mal. Los guerreros se las habían ingeniado para conseguir que el hechizo lanzado a Odaglas no surtiera efecto y eso las hacía retorcerse de rabia. Las sombras se unieron a la hiena y todas se convirtieron en el polvo que habían decretado para las personas de bien.

¡Los guerreros habían logrado revertir el hechizo! Llenos de júbilo, los pobladores los rodearon, les agradecieron su ayuda y con mayor razón insistieron en que se quedaran a compartir con ellos una gran celebración pues, sin duda, los habían salvado. Algo apenados pero muy felices, aceptaron.

Los guerreros se hospedaron en la posada más cálida y linda del lugar. Era un sitio hermoso: pequeñas cabañas ubicadas en medio de árboles frondosos de los que pendían lámparas con forma de estrellas de todos tamaños. Mientras recorrían el lugar, entre los árboles notaron una luz más brillante que las de las lámparas y así descubrieron a Paztillín.

De inmediato y entre sonrisas, los guerreros se acercaron a ella.

—Me siento muy orgullosa de ustedes —les dijo, con evidente satisfacción—. Con su ingenio lograron revertir el hechizo, pero eso no es lo único que esta experiencia les enseña: quiero que recuerden siempre que, *por muy malo que sea quien nos hiere o por muy grande que sea nuestra herida en el corazón, nada ni nadie tiene la capacidad de modificar nuestros sentimientos o nuestra actitud ante la vida.*

"Si siempre han buscado servir, el hecho de que las cosas no salgan como lo esperaban o de que los demás no cubran sus expectativas no es razón suficiente para transformar el amor del corazón en resentimiento, o la confianza en desconfianza. Recuerden que ésa es una decisión que sólo les corresponde a ustedes."

"No cambien el terreno fértil de su corazón por uno erosionado", concluyó Paztillín.

Los guerreros, agradecidos por tan valiosa lección, abrazaron a Paztillín y ésta se desvaneció en el aire.

Los pobladores se encontraron de nuevo con los guerreros para ofrecerles una cena grandiosa. Comieron, bebieron y se divirtieron como hacía mucho tiempo no lo hacían, y los dueños de la posada prepararon dos deliciosas porciones de alimento para Libro y Nicky.

Mientras comían y platicaban, Dryna notó que Odaglas parecía ausente.

—¿En qué piensas? —le preguntó, incapaz de resistirse a la curiosidad. El joven la miró y salió del silencio.

—Es curioso. Cuando me despedí de Paztillín, reconocí en su mirada a alguien más —comentó.

—¿De verdad? —preguntó Dryna, intrigada—. ¿A quién?

—A mi madre. El encuentro me hizo recordarla. ¡Qué hermoso: *mientras más pensamos en nuestros seres amados, más cerca están de nosotros!* No importa que ya no habiten esta

155

Tierra ni que hayan evolucionado. Si los pensamos, ellos nos acompañan —concluyó el joven guerrero.

—Tienes razón —confirmó Dryna.

Terminada la cena, los guerreros se retiraron a descansar. Había sido un día muy intenso y cayeron dormidos casi en el instante de apoyar la cabeza en la almohada. Era una noche tan tranquila y silenciosa que Libro se puso alerta al escuchar pisadas fuera de la cabaña de Odaglas. El gato saltó a la cama y lamió la mano de su dueño quien, de inmediato, despertó, escuchó las pisadas y, con sigilo, se asomó a la ventana.

Entre las luces de las estrellas artificiales, el joven guerrero distinguió la silueta de Dryna, así que se arropó y salió a su encuentro.

—¿Está todo bien? —le preguntó en voz baja. Ella se sobresaltó pero, al verlo, recuperó la paz que le inspiraba ese lugar.

—Todo está bien —respondió Dryna con dulzura—; es sólo que me resulta difícil cerrar los ojos y perderme de admirar este místico lugar.

Ambos caminaron en silencio durante un rato y luego se sentaron en una banca de madera.

—Me asusté mucho al verte herido. Tuve miedo de que murieras. El corazón se me partió en dos —habló de nuevo la joven.

—Yo también me sentí desesperado cuando te llevó aquella bestia, sobre todo porque no podía hacer otra cosa que esperar. Sin embargo, mi lección fue que *al aprendizaje y a la acción les sigue la espera para conocer los resultados.*

"*A veces cometemos el error de esperar que suceda algo, que las circunstancias cambien como por arte de magia sin hacer*

nada por intentarlo, pero así jamás sucederá nada. Es diferente cuando nos preparamos y actuamos porque, entonces, llega el momento de la pausa, que es como la envoltura del regalo de la experiencia."

"Pero, *sin duda, es mejor esperar acompañado* y, cuando no estabas, me confortó la presencia y el apoyo de nuestros amigos —recordó Odaglas.

—Es verdad; *estar acompañado en los momentos difíciles es grandioso* —concluyó la guerrera.

Dryna y Odaglas cruzaron miradas y aproximaron sus rostros, pero de pronto sintieron que algo les rasguñaba las piernas. Eran Libro y Nicky, que habían sentido el frío de su ausencia. Los jóvenes sonrieron, cargaron a sus mascotas y, a manera de despedida, se dijeron:

—Fue una linda noche... vamos a descansar.

16. La montaña

A la mañana siguiente, en punto de las ocho, las campanas de la iglesia sonaron para anunciar la boda de Alba. Tras la emotiva ceremonia, los invitados se dirigieron al banquete y, mientras la pareja bailaba su primera melodía como esposos, los guerreros, con discreción, salieron del lugar con aquella imagen de felicidad, que sus nuevos amigos les habían regalado, grabada en sus corazones.

Habían caminado durante algunas horas cuando, entre los árboles que a su paso se abrieron, lograron ver la montaña Secreto Mukul, ta'ak tsikbal. Los guerreros se detuvieron en seco impresionados por su grandeza. Era imponente.

Tor, desconcertado, les preguntó por qué se detenían, ¿acaso habían llegado ya?

—Así parece —respondió Yerpa—. Estamos al pie de la montaña. Debemos darnos prisa para llegar al punto medio y acampar; si lo logramos y reiniciamos la escalada mañana temprano, alcanzaremos la cima al medio día.

Todos estuvieron de acuerdo y caminaron llenos de entusiasmo. Al avanzar reflexionaban en todo lo que habían logrado, en lo aprendido y en *cómo se había fortalecido su amistad al compartir los buenos y los malos momentos*.

Cuando llegaron a la mitad de la montaña los alcanzó la noche, de manera que se prepararon para acampar, encendieron una fogata y, antes de dormir, dedicaron un rato a comentar su satisfacción por cada uno de sus logros y progresos.

—Estoy feliz de estar con ustedes —comenzó K-los—. Nunca creí que lograría salir de las sombras y heme aquí.

—Coincido contigo, amigo mío —respondió Tor—. No hay duda alguna de que cada experiencia compartida nos confirma que, *sin importar que en esta vida nos tocara habitar un cuerpo con discapacidad, somos guerreros y son nuestras decisiones y actitudes las que nos ayudaron a descubrirlo.*

La noche transcurrió con rapidez, aunque quizá no era que el tiempo se acelerara sino que los guerreros estaban ansiosos por ver de nuevo la luz del sol y descubrir lo que les esperaba en la cima de la montaña.

Un tímido rayo se asomó en el cielo y, pronto, los guerreros estuvieron listos para continuar. Llenos de energía, escalaron durante algunas horas y, de acuerdo con el plan de Yerpa, llegaron a su meta al mediodía. El sol estaba en el centro del cielo y parecía coronar la cima de la montaña.

Los guerreros se sentían exhaustos, aunque emocionados. En ese sitio encontraron un enorme templo de piedra en donde resultaban evidentes las huellas del paso del tiempo. Unas torres que se asomaban por la montaña daban la impresión de ser parte del edificio y los muros estaban pulidos con detalle. El conjunto era majestuoso.

Allí encontraron a una pareja de edad madura; ambos tenían una larga cabellera plateada y cubrían sus cuerpos con túnicas tan blancas que parecían hechas de luz. La pareja los recibió con mucho cariño y los invitó a pasar a un salón donde los guerreros pudieron refrescarse.

—Somos los guerreros que salvaguardamos Villa Eclipse —se presentó Odaglas—. No lo habíamos mencionado pero parte fundamental de esta misión es el *Libro de la vida*, así que hemos venido hasta aquí para llevarnos el *Libro de la vida.*

Los ancianos los miraron con cierta extrañeza y se presentaron:

—Somos la *maestra* K'iin, k'iinil y el maestro Taak, ts'íibol, poochil. El libro que buscan no está aquí —les dijeron.

La preocupación asomó a los rostros de los guerreros.

—¿Cómo es posible? ¿Llegamos tarde? ¿Alguien más se lo llevó? —se preguntaron.

—No, nada de eso —aclararon los ancianos—. Ese libro nunca ha estado aquí.

Los guerreros estaban confundidos y no podían creer lo que escuchaban.

—¿De qué ha servido todo? —se cuestionaban—. El esfuerzo, las luchas libradas…

—Las batallas libradas no fueron en vano —respondieron los maestros—. Muchos nos beneficiamos de ello pues, con ustedes, adquirimos grandes aprendizajes: con K-los, *a respetar los miedos de los demás para ayudar a superarlos;* con Yerpa, *a renovarnos día a día y a no aferrarnos a viejos paradigmas; además, nos enriqueció con su energía vital que, como lo demostró, no está en la edad sino en el corazón;* con Tor, *a no dejarnos llevar por lo que escuchamos y, sobre todo, que cada segundo es una oportunidad para regresar a nuestro cauce y que, lejos de ser una pérdida de tiempo, un error nos enseña a madurar;* con Silus, *a emplear todos nuestros recursos, pues el equilibrio entre defectos y virtudes nos permite dar lo mejor de*

nosotros; además, de él aprendimos la importancia de tener el valor de pedir; con Dryna, a disfrutar de nuestra propia compañía, a estar con nosotros mismos y a confiar en lo que somos; con Odaglas, que nada es tan poderoso que anule la bondad de nuestro corazón y que la conciencia es nuestra oportunidad para modificar aquello que no nos gusta o nos daña.

"Sus experiencias y batallas sirvieron para que aprendiéramos que todos nos enfrentamos a situaciones similares cada día. El libro que esperaban encontrar aquí es el libro de sus vidas. *Ahora saben que aquello que buscaban sólo está en cada uno de ustedes.*"

"*Al final de una gran aventura siempre nos quedan los recuerdos que contienen lo que aprendimos, lo que somos y lo que seremos, y eso no puede cambiarlo ninguna sombra de oscuridad, por densa que sea.*"

"Lo que han escrito con sus vivencias les pertenece y son bienes que nadie, sin importar su poder, podrá arrebatarles. Ahora saben que, cada vez que se enfrenten a un reto, no es preciso perder el tiempo en pelear: lo que necesitan es emplear sus herramientas y liberarse del miedo."

"*El amor y las amistades que encontraron a su paso han allanado el camino;* esos momentos felices que atesoran, la buena voluntad de los demás..., todo eso también forma parte del conjunto de herramientas que les ayudaron a enfrentar los miedos."

"*Todas esas herramientas les han permitido hacerles frente a las fuerzas del mal. Por su parte, el hecho de compartir y transmitir las experiencias nos permite trascender y conduce a las fuerzas del mal a abandonar este plano.*"

"*Siempre que existan guerreros preparados para vencer las sombras del desamor, desánimo, flojera, desesperanza, ig-*

norancia, egoísmo y el resto de las fuerzas negativas que nos acechan, permaneceremos a salvo."

"Tal vez la pregunta sea: ¿cómo enriquecer esos recuerdos? La respuesta es: *¡Con fuerza de voluntad!*"

"Queridos guerreros, con la fuerza que ya tienen para alcanzar sus metas, vayan y *continúen con la voluntad de aprender, acompañarse, superarse y compartir hasta el fin.*"

Después de escuchar a los sabios maestros, los guerreros comprendieron con claridad la razón de su misión y se llenaron de alegría. Pronto, varios rayos de luz se filtraron por los ventanales y los guerreros dieron la bienvenida a Roma, Llamita, Sica, Paztillin, Tino, Lici y River.

Juntos, los guardianes y los maestros festejaron el gran logro de los guerreros y compartieron una hermosa velada. El Hada de la luz estaba dichosa, ahora sólo quedaba devolver los medallones a Mundo pues la misión se había cumplido cabalmente. Por otra parte, Dryna y Odaglas, a partir de su encuentro, supieron que habían dado un sentido profundo al amor y lo cultivarían cada día de sus vidas.

A la mañana siguiente debían partir rumbo a Villa Eclipse para compartir su lección con los pobladores. Estaban preparados para vivir más aventuras y utilizar todas sus herramientas en favor de sí mismos y de los suyos.

Este libro se terminó de imprimir en mayo de 2008,
en Priz Impresos, Sur 113-A, Mz. 34, Lote 43, col.
Juventino Rosas, 08700, México, D.F.